# Quelque Chose de Facile

PAR

ERNEST R. DODGE

*Head of Department of Modern Languages*
*Horace Mann School for Boys*
*Teachers College, Columbia University*

A. CARO-DELVAILLE

*Diplomée de la Sorbonne, Conférencière aux États-Unis*
*Chevalier de la Légion d'honneur*

ILLUSTRATED BY LENORE BOE

*New York* *Cincinnati* *Chicago*
AMERICAN BOOK COMPANY
*Boston* *Atlanta* *Dallas* *San Francisco*

D. C–D. Q C. de F.

E. P. I

Made in U.S.A.

In Memory of

W. T. H. H.

# Avant-propos

Notre intention, en présentant cet ouvrage, est d'offrir aux commençants un recueil de lectures françaises intéressantes et instructives, écrites dans une langue facile et courante.

Nous avons pris soin d'éclairer le texte par de nombreuses notes au bas des pages. Comme ces textes sont indépendants les uns des autres, il nous a paru nécessaire de répéter ces notes chaque fois qu'une nouvelle histoire présentait la même expression, de sorte que le professeur se sentira parfaitement libre de changer à son gré l'ordre dans lequel nous avons établi la succession de ces histoires. Nous avons fait suivre chaque histoire par des exercices destinés surtout à familiariser l'étudiant avec l'usage général du français sans s'attacher particulièrement à quelque point spécial de grammaire.

Il nous a paru que la lecture d'histoires et d'anecdotes simples mais non puériles peut stimuler le goût des commençants souvent rebutés par la difficulté ou la sécheresse du premier contact avec une langue étrangère. Dans la deuxième partie nous nous sommes attachés à leur donner des anecdotes de caractère historique et cultural.

Nous sommes heureux de pouvoir ici exprimer notre gratitude au Dr. Charles C. Tillinghast, Principal of the Horace Mann School for Boys, qui nous a guidés par ses conseils et soutenus par son encourageante sympathie. Nous devons également beaucoup à Mr. Charles B. Anderson, Mr. Charles E. Cannon et Mr. Joseph Checkovich du département de langues vivantes à la même école, qui nous ont aidés à recueillir notre matériel et ont bien voulu revoir nos épreuves. Miss Dorothy Cannon nous a, comme dans nos précédentes publications, prêté la plus précieuse assistance. Enfin, Madame Henri Pastoureau de la Bibliothèque Nationale à Paris nous a rendu d'importants services dans le choix de nos anecdotes historiques.

Ernest R. Dodge
Aline Caro-Delvaille

# Table des Matières

Première Partie

## Deuxième Partie

# Première Partie

# Chez le Docteur[1]

— Bonjour, Docteur. Je ne suis pas très bien.
— Vraiment ! Qu'est-ce qui ne va pas ?[2]
— Je suis nerveux, inquiet. Je rentre chez moi[3] le soir fatigué ; et, au lieu de[4] bien dormir, j'ai des cauchemars.
— Quel genre de cauchemars ?
— Je rêve qu'on me tape sur l'épaule ; qu'un gendarme m'arrête ; qu'on m'enferme en prison. Je m'éveille suffoquant, baigné de sueur.[5]
— Hum, hum . . . fatigue nerveuse . . . vous travaillez trop. Quel est votre métier ?
— Je ne fais rien, je vis de mes rentes.
— Ah ! Et comment passez-vous vos journées ?

---

[1] ***chez le docteur,*** at the doctor's
[2] ***Qu'est-ce qui ne va pas ?*** What is wrong ?
[3] ***chez moi,*** home
[4] ***au lieu de,*** instead of
[5] ***baigné de sueur,*** bathed in perspiration

— Je vais à la pêche tous les jours.

— Le plus paisible de tous les sports. Ce n'est pas cela qui peut vous mettre dans cet état nerveux.

— Ne dites pas cela, Docteur! Avez-vous jamais pêché sans permis?

# Dans un Train

Le train roule et s'arrête à une station. Un voyageur monte dans un compartiment presque plein. A côté d'un[1] monsieur sans chapeau qui lit son journal une place est vide, mais un chapeau est posé dessus.

— Je vous demande pardon, dit le nouveau venu,[2] en indiquant[3] le chapeau. 5

Le voyageur lève les yeux sans répondre, et continue à lire.

— Pardon, Monsieur, pouvez-vous enlever votre chapeau? 10

— Non.

— Comment, non? C'est intolérable! Vous voyez bien qu'il n'y a pas d'autre place libre!

— En effet,[4] je le regrette.

— Monsieur, oui ou non, voulez-vous enlever votre 15 chapeau de cette place?

---

[1] *à côté d'un,* next to a
[2] *le nouveau venu,* the newcomer
[3] *en indiquant,* while pointing at
[4] *en effet,* indeed

— Non. Je ne veux pas enlever ce chapeau-là.

Le nouveau venu, exaspéré, appelle le contrôleur:

— Monsieur le contrôleur,[1] il y a dans ce compartiment un voyageur qui refuse d'enlever le chapeau qu'il a posé sur la seule place libre. Voulez-vous lui donner l'ordre de débarrasser cette place?

Le contrôleur entre dans le compartiment:

— Monsieur, pourquoi refusez-vous d'enlever votre chapeau de cette place?

— Je ne refuse pas d'enlever mon chapeau. Je refuse d'enlever ce chapeau-là. Il n'est pas à moi.[2]

---

[1] ***Monsieur le contrôleur,*** Conductor
[2] ***Il n'est pas à moi.*** It does not belong to me.

# L'épagneul

Dans une ville étrangère un homme du pays [1] aborde un touriste et lui offre ses services:

— Avez-vous besoin d'un [2] guide, Monsieur ?

— Non, merci.

— Je puis vous montrer tous nos monuments, nos églises, nos musées. 5

— Je les connais.

— Je puis vous conduire dans les meilleurs restaurants.

— Je suis au régime du lait.[3] 10

— Je puis vous indiquer la meilleure laiterie.

— Je la connais.

— Je puis vous conduire dans nos magasins.

— J'ai tout ce qu'il me faut.[4]

---

[1] ***un homme du pays,*** a native
[2] ***avez-vous besoin d'un,*** are you in need of a
[3] ***au régime du lait,*** on a milk diet
[4] ***tout ce qu'il me faut,*** all I need

— Je suis l'ami des plus grands antiquaires de la ville. Je puis vous faire trouver de vraies occasions.[1]

— Les antiquités ne m'intéressent pas.

— Mais enfin, Monsieur, qu'est-ce qui vous intéresse ?

— Vous voulez le savoir ? Je m'intéresse aux [2] chiens.

— Quel heureux hasard ! [3] Moi aussi, Monsieur, je suis grand amateur de chiens.[4] Nous en avons de très rares dans la ville.

---

[1] ***de vraies occasions,*** real bargains
[2] ***je m'intéresse aux,*** I am interested in
[3] ***Quel heureux hasard!*** What a lucky chance !
[4] ***amateur de chiens,*** dog fancier

— Je n'aime que les épagneuls.

— Parfait, Monsieur. Je puis vous procurer un très bel épagneul.

— Très beau et de race garantie ?

— Absolument, Monsieur. Je sais où trouver ce chien; il appartient à un de mes amis qui vous le cédera [1] sûrement à un prix raisonnable.

— Le prix n'a pas d'importance [2] si le chien est beau.

— Alors, l'affaire est faite.[3] Je cours vous le chercher,[4] Monsieur, j'y cours !

L'homme s'éloigne. Après quelques pas il revient vers l'étranger.

— A propos, quel genre de chien est-ce un épagneul ?

---

[1] ***qui vous le cédera,*** who will let you have him
[2] ***n'a pas d'importance,*** is of no importance
[3] ***l'affaire est faite,*** it's a deal
[4] ***vous le chercher,*** to get him for you

# Deux Associés

La mère est assise près de la fenêtre, très absorbée dans sa couture; sans lever les yeux, comme parlant à quelqu'un dans la chambre, elle appelle:

— Jean!

5 Personne ne répond; elle lève les yeux, et, un peu plus fort:

— Jean!

Silence. Elle s'arrête de coudre: [1]

— Jean! veux-tu me faire le plaisir de [2] me ré-

10 pondre!

Silence. Elle regarde autour de la chambre vide:

— Claude! où es-tu? Où est ton frère?

Aucune réponse. Elle se lève:

— C'est un peu fort! [3] Dès que [4] je cesse de sur-

---

[1] ***Elle s'arrête de coudre.*** She stops sewing.
[2] ***me faire le plaisir de,*** do me the favor to
[3] ***un peu fort,*** too much
[4] ***dès que,*** as soon as

veiller ces enfants, ils disparaissent! Je suis sûre qu'ils font quelque sottise. — Jean! Claude!... (plus fort) Jean!... Claude!... CLAUDE!... JEAN!...

Elle va au pied de l'escalier, lève la tête:

— Ils sont peut-être dans leur chambre. Jean! Claude! mes enfants, répondez-moi!

Le silence persiste. La mère montre les signes d'une colère naissante:[1]

— Où peuvent-ils être? Au jardin, en train de[2] manger les abricots pas mûrs?... ou chez le voisin,[3] en train de tresser les crins de la queue de la vache? ... Ils ne sont pas méchants, mais ils sont pleins de malice; et puis, si désobéissants!

Elle soupire, ouvre la porte d'entrée, fait quelques pas dans le jardin et appelle à haute voix:[4]

— Jean!... Claude!... où êtes-vous? Que faites-vous?

Une voix d'enfant semble descendre du ciel:

— Maman?

— Ça y est![5] Ils sont dans l'abricotier! Et moi qui compte sur ces abricots pour faire mes confitures!

Elle sort dans le jardin et le traverse. Au pied de l'abricotier, elle lève la tête et scrute le feuillage épais:

— Où es-tu? Je ne te vois pas!

La même voix enfantine descend du ciel, mais venant du côté de[6] la maison:

— Ici, Maman. Sur le toit.

---

[1] ***naissante,*** rising
[2] ***en train de,*** in the act of
[3] ***chez le voisin,*** at the neighbor's
[4] ***à haute voix,*** in a loud voice
[5] ***Ça y est!*** Sure enough!
[6] ***du côté de,*** from

— Sur le toit! Et veux-tu me dire ce que tu fais sur le toit?

— Rien du tout, Maman.

— Rien du tout! Et ton frère? Claude! Où es-tu?

5 Deux petites têtes se montrent derrière une cheminée, et Claude répond:

— Ici, Maman, avec Jean, sur le toit.

— Et qu'est-ce que tu fais sur le toit?

— J'aide Jean, Maman.

# Appelez les Pompiers!

Monsieur Fénuquet est un vieil original. Il parle peu, aime la tradition plus que le confort, et déteste tout ce qui est moderne. Aussi, lorsqu'il voyage, il choisit des hôtels plus pittoresques que confortables, des hôtels qui n'ont ni eau courante dans les chambres, ni calorifère, ni ascenseur, ni téléphone.

Un jour de l'automne dernier, il s'arrête dans une petite auberge d'un village breton. Comme il fait frais,[1] il demande un feu de bois dans sa cheminée. L'unique domestique de l'endroit apporte un panier de bûches, les empile avec art dans l'âtre, allume en-dessous une poignée de brindilles, et bientôt des flammes joyeuses s'élèvent dans la cheminée. Il se lève et demande:

— Monsieur n'a besoin de rien d'autre ? [2]

[1] ***il fait frais,*** it is cool

[2] ***Monsieur n'a besoin de rien d'autre?*** (*In France well-trained servants address their superiors in the third person; notice, therefore, the porter's speech and render it in good English throughout the story.*) Do you wish anything else, Sir ?

— Non, non, je n'ai besoin de rien. Merci bien.
— Si Monsieur a besoin de quelque chose, voici la sonnette près du lit.
— Bien.

5 Le garçon descend. Une demi-heure se passe. Tout à coup[1] la sonnette retentit. La sonnerie vient de la chambre de Monsieur Fénuquet. Il monte, frappe à la porte. Monsieur Fénuquet ouvre et demande:
— Un verre d'eau!

[1] ***tout à coup***, suddenly

— Tout de suite,[1] Monsieur.

Le garçon redescend, remplit un verre d'eau à la pompe, le met sur une soucoupe et l'apporte à son client. Monsieur Fénuquet l'attend sur le pas de la porte, prend le verre et rentre chez lui.[2] Deux minutes plus tard, nouvelle sonnerie, de la même chambre. Le garçon remonte.

— Encore un verre d'eau.

— Bien, Monsieur.

De nouveau, Monsieur Fénuquet prend le verre. Le garçon redescend; il est à peine [3] arrivé au bas de l'escalier que la sonnette retentit encore; c'est encore Monsieur Fénuquet qui sonne:

— Monsieur désire?

— Encore un verre d'eau.

— Drôle de client,[4] pense le garçon. Néanmoins il va une fois de plus [5] de la pompe au deuxième étage. Pendant qu'il redescend la sonnette se fait encore entendre.[6] Alors, sans même s'assurer du numéro de la sonnerie, notre garçon, exaspéré, remonte et trouve de nouveau Monsieur Fénuquet sur le pas de la porte.

— Monsieur veut encore un verre d'eau?

— Oui.

— Je me permets de faire remarquer à Monsieur [7] que, puisqu'il a si soif,[8] je puis lui apporter une carafe.

— Je n'ai pas soif, j'essaie tout simplement d'arrêter un incendie dans ma chambre.

---

[1] ***tout de suite,*** right away
[2] ***(il) rentre chez lui,*** (he) goes back to his room
[3] ***à peine,*** hardly
[4] ***drôle de client,*** what a funny customer
[5] ***une fois de plus,*** once more
[6] ***la sonnette se fait encore entendre,*** the bell is heard again
[7] ***de faire remarquer à Monsieur,*** to call to your attention, Sir
[8] ***puisqu'il a si soif,*** if you are so thirsty (*see note 2, page 11*)

# *Une Chambre dans le Ciel*

Jérôme arrive à Paris, riche d'espoirs et d'ambition, mais pauvre d'argent. Il fait ses comptes [1] dans la cour de la gare:

— Si je trouve une chambre pas trop chère, à
5 quinze francs, vingt au plus,[2] mes économies dureront un mois, et pendant ce temps, je suis sûr de trouver du travail.

Il se met en marche,[3] portant sa légère valise à la main.[4] Il entre dans un, dans deux, dans six hôtels:
10 des établissements magnifiques, avec salons, ascenseurs, et, bien entendu, des tarifs au-dessus de ses moyens. Enfin, dans un quartier populeux, dans une petite rue écartée, il aperçoit un hôtel d'aspect modeste. Il entre dans l'étroit vestibule et s'ap-

---

[1] ***il fait ses comptes,*** he takes stock
[2] ***au plus,*** at the most
[3] ***il se met en marche,*** he starts out walking
[4] ***à la main,*** in his hand

proche du bureau.[1] Une dame, simplement vêtue, y est assise; son visage maternel rassure Jérôme:

— Bonjour, Monsieur. Qu'y a-t-il pour votre service ? [2]

— Bonjour, Madame, je voudrais une chambre. 5

— Très bien. A quel prix, Monsieur ?

— Cela dépend. Quels sont vos prix ?

— Au premier étage,[3] avec salle de bain, soixante francs.

---

[1] (***il***) ***s'approche du bureau,*** (he) approaches the desk

[2] ***Qu'y a-t-il pour votre service?*** What can I do for you ?

[3] *In France our first floor is called* **le rez de chaussée,** *our second floor is* **le premier étage,** *our third floor,* **le deuxième** (**étage**), *etc.*

D'un geste de la main,[1] Jérôme écarte l'idée de la salle de bain.

— Je voudrais une chambre très simple et pas chère.

— Très bien, Monsieur. Sans bain, au premier c'est cinquante francs, au deuxième quarante francs, au troisième trente-cinq francs, au quatrième trente francs. Vous comprenez, nous n'avons pas d'ascenseur, alors, plus c'est haut, moins c'est cher.[2]

— Et au-dessus du quatrième ?

— C'est le toit, Monsieur.

Jérôme soupire, ramasse sa valise et se tourne vers la sortie en disant :

— Merci, Madame, je reviendrai.

— Quand, Monsieur ?

— Quand vous aurez deux étages de plus.[3]

---

[1] ***d'un geste de la main,*** with a motion of his hand
[2] ***plus c'est haut, moins c'est cher,*** the higher, the cheaper
[3] ***deux étages de plus,*** two more floors

# Tableau de Paris — I

Devant un restaurant brillamment éclairé un pauvre homme s'arrête. Il est pâle et maigre. Ses habits sont en lambeaux.[1] Il s'accroupit contre le mur, près de la fenêtre des cuisines, et non loin de la porte d'entrée. Il tire de sa poche un morceau de pain 5 et commence à manger lentement, tout en regardant [2] entrer les dîneurs. Ce sont des hommes en habit de soirée, des femmes luxueusement habillées. A chaque tour de la porte-revolver, la musique parvient jusqu'à lui. 10

Le portier du restaurant s'étonne et bientôt s'inquiète. Ce miséreux qui reste si longtemps près de la porte a peut-être de mauvais desseins? La haine et l'envie vont peut-être le pousser à un geste agressif. Il appelle un agent de police. 15

L'agent s'approche:

— Circulez! [3]

---

[1] *en lambeaux,* in tatters
[2] *tout en regardant,* while watching [3] *Circulez!* Move on!

— Pourquoi, Monsieur l'agent ? [1] Je ne fais aucun mal en restant [2] ici ?

— Il y a d'autres endroits pour manger et se reposer. Circulez !

5 — Mais comprenez, Monsieur l'agent. Je suis pauvre; j'ai faim; [3] je suis seul; je vis dans la laideur et la misère. Alors, je viens le soir près de ces lieux où je trouve tout ce qui me manque.[4] Je mange mon pain sec à l'odeur du rôti. Je réjouis mes yeux 10 à la vue du luxe; je réchauffe mon cœur aux sons de la musique. Cela me suffit. . . .[5]

[1] ***Monsieur l'agent,*** Officer (*polite form of address*)
[2] ***en restant,*** by staying [3] ***j'ai faim,*** I am hungry
[4] ***tout ce qui me manque,*** everything that I lack
[5] ***Cela me suffit.*** That is enough for me.

# Tableau de Paris — II

## Au Bord de la Seine

Sous les peupliers le tondeur et laveur de chiens attend les clients. Un monsieur bien habillé descend l'escalier conduisant à la berge; un caniche noir trotte derrière lui. Le monsieur s'arrête au bord de la rivière; le chien aussi et renifle l'eau. 5

— Joli caniche, Monsieur, dit le tondeur.

— Hé, hé! [1]

— Il a bien besoin d'être lavé.[2]

— C'est aussi mon opinion.

— Alors je lui donne son petit bain? 10

— Si vous voulez.

Le tondeur empoigne le chien qui proteste, le plonge dans la rivière, le couvre de [3] savon noir, le

---

[1] ***Hé, hé!*** Uh, huh!
[2] ***Il a bien besoin d'être lavé.*** He needs a bath badly.
[3] (*il*) ***le couvre de,*** (he) covers him with

frotte vigoureusement, et le rince de nouveau dans l'eau courante. Le chien s'ébroue, et son poil bien lavé frise plus que jamais.

— A mon avis,[1] Monsieur, ce chien a besoin d'être
5 tondu.[2]

— Il me semble.

---

[1] ***à mon avis,*** in my opinion
[2] (***il***) ***a besoin d'être tondu,*** (he) needs a clipping

— C'est un beau chien de pure race. J'ai envie de[1] le tondre à la dernière mode.

— A votre aise.[2]

Le tondeur se met au travail.[3] Sous ses cisailles agiles le malheureux toutou devient un chien de luxe. 5

Le tondeur se recule pour mieux apprécier son bel ouvrage:

— Beau travail, Monsieur?

— Magnifique. Vous êtes un artiste.

— Alors, Monsieur, vous êtes satisfait? 10

— Satisfait! Moi? Ça m'est égal.[4]

— Comment!! Ça vous est égal que votre chien . . .

— MON chien? Ce n'est pas *mon* chien! Vous ai-je dit que c'était *mon* chien?

---

[1] ***j'ai envie de,*** I have a mind to
[2] ***A votre aise.*** Suit yourself.
[3] ***(il) se met au travail,*** (he) starts to work
[4] ***Ça m'est égal.*** It is all the same to me.

# *Tableau de Paris—III*

## Nénette et Rintintin

Madame Philibert est la mercière, Madame Delorme est la fleuriste. Leurs deux boutiques sont côte à côte.[1] Madame Philibert avoue être d'un certain âge;[2] Madame Delorme admet qu'elle n'est
5 plus toute jeune.[3] En vérité chacune a plus de cinquante ans.[4] Madame Philibert a un visage mince, un nez un peu long et un peu rouge; ses cheveux encore noirs sont nettement tirés en arrière. Madame Delorme a la figure ronde et pleine, le nez retroussé,
10 les joues encore fraîches, les cheveux blancs et bouclés.

Madame Philibert vend du fil, des aiguilles, des

---

[1] ***côte à côte,*** side by side
[2] ***d'un certain âge,*** elderly
[3] ***toute jeune,*** (*here*) very young
[4] ***a plus de cinquante ans,*** is more than fifty years old

boutons, des agrafes, des pressions, du ruban. Elle vend aussi des bouquets de fleurs artificielles.

Les fleurs que vend Madame Delorme [1] sont vivantes et fraîches. Elle vend aussi des géraniums, des marguerites en pots et des plantes vertes. Une plante dure plus longtemps que des fleurs coupées et la clientèle du quartier n'est pas riche. Les amoureux achètent des bouquets.

Madame Philibert lit le journal du commencement à la fin; elle s'intéresse surtout aux crimes,[2] mais elle ne l'avoue pas. Elle parle peu, écoute beaucoup et hoche la tête: c'est une personne sérieuse.

Madame Delorme a la faiblesse de lire des romans. Elle est curieuse et interroge les jeunes gens qui viennent acheter des fleurs; alors elle soupire et parle de sa jeunesse: elle est sentimentale.

Madame Delorme a une chatte: Nénette. Madame Philibert a un chien: Rintintin.

Nénette est toute noire avec une petite cravate de poils blancs au cou, et les pattes blanches. C'est une chatte délicate, discrète et bien nourrie. Les passants s'arrêtent pour la regarder marcher avec précaution parmi les vases de fleurs, et, quand elle respire l'odeur d'une rose ou d'un œillet ses longues moustaches blanches frémissent.

Rintintin n'appartient à aucune race [3] élégante de chiens; il est difficile de décider s'il appartient à une ou à trente races combinées. Il est petit, gras, son poil est d'une couleur indécise; son petit nez est noir, humide et frais, et sa queue frétille tout le temps, car c'est un chien heureux. Lorsque quelqu'un entre

---

[1] ***que vend Madame Delorme,*** which Mrs. Delorme sells
[2] ***elle s'intéresse aux crimes,*** she is interested in crimes
[3] ***n'appartient à aucune race,*** does not belong to any breed

dans la boutique il aboie, mais ce n'est pas une démonstration hostile; comme la porte n'a pas de sonnette, il prévient ainsi sa maîtresse quand elle est dans sa cuisine.

5 Madame Philibert et Madame Delorme entretiennent des relations polies mais distantes; chacune pense qu'il vaut mieux [1] ne pas se lier trop intimement entre proches voisines.

---

[1] *il vaut mieux,* it is better

Nénette et Rintintin s'ignorent réciproquement. Lorsqu'ils se rencontrent dans la rue le poil de Nénette se hérisse à peine;[1] la queue de Rintintin cesse de frétiller, mais c'est tout.

Hier grande tragédie: c'est d'ailleurs la faute du garçon boucher.[2] En descendant de[3] sa bicyclette il laisse tomber par terre[4] un petit paquet; le paquet s'ouvre: un morceau de foie apparaît.

Nénette a pourtant l'air de[5] dormir sur le seuil; Rintintin semble tourner le dos; mais, comme un éclair, les voici tous deux[6] autour de ce morceau friand, chacun y pose la patte pour le réclamer. Le garçon boucher est déjà dans la maison, mais les enfants qui jouent dans la rue s'attroupent pour voir comment se terminera le débat.

La queue de Nénette est droite comme un I; sa fourrure s'enfle comme un manchon; elle montre les dents, et toute sa personne gronde.

La queue de Rintintin tombe entre ses jambes; ses petites jambes ridicules se plantent solidement sur le sol; toute sa peau frémit, il aboie désespérément.

— A toi,[7] Rintintin!

— Non, prends-le, Nénette!

— C'est à lui![8]

— Non! C'est à elle![8]

Les cris des enfants excitent les animaux, Nénette est une dynamo électrique, Rintintin un avertisseur d'incendie. Madame Delorme se précipite, Madame Philibert accourt:

---

[1] ***à peine,*** hardly [2] ***le garçon boucher,*** the butcher boy
[3] ***en descendant de,*** while getting off
[4] ***il laisse tomber par terre,*** he drops
[5] ***a . . . l'air de,*** seems (pretends) to [6] ***tous deux,*** both
[7] ***à toi,*** it is for you
[8] ***C'est à lui*** (***elle***)! It belongs to him (her)!

— Ici,[1] ma belle!

— Rintintin! Coucher![2]

Les paroles ne suffisent pas, elles s'emparent des deux animaux, chacune de son favori[3] qui proteste.

— C'est un méchant chien, ma Nénette, calme-toi . . .!

— Laisse ce vilain chat voler la viande qui ne lui appartient pas.

— Ma chatte ne vole pas de viande, Madame, elle a tout ce qu'il faut.[4] C'est votre chien qui . . .

— Mon chien est bien nourri et ne ramasse pas ce qui traîne dans la rue.

L'instant devient dramatique, les passants s'arrêtent, les enfants excités trépignent, les bouclettes de Madame Delorme se dérangent. Une mèche sort du chignon bien tiré de Madame Philibert. . . . Que va-t-il arriver?[5]

Il arrive[6]. . . que le garçon boucher revient et qu'il accuse Nénette et Rintintin. Alors, Madame Delorme et Madame Philibert s'unissent pour dire à ce méchant garçon boucher ce qu'elles pensent de lui.

— Laisser tomber[7] la viande des clients par terre, pour tenter de pauvres innocentes bêtes!

— Je suis là pour dire[8] que le petit chien n'est pas un voleur! s'écrie noblement Madame Delorme.

Et Madame Philibert, le nez plus rouge que jamais, jure que Nénette est végétarienne. Et toutes deux

---

[1] *ici,* come here
[2] *Coucher!* Lie down!
[3] *son favori,* her pet
[4] *elle a tout ce qu'il faut,* she has all she needs
[5] *Que va-t-il arriver?* What is going to happen?
[6] *il arrive,* it happens
[7] *laisser tomber,* to drop
[8] *je suis là pour dire,* I can tell you right here

promettent au garçon boucher de dire à son patron qu'il laisse tomber la viande dans la rue au lieu de[1] la livrer aux clients. Le pauvre garçon, accablé par tant d'injustice, remonte sur sa machine et s'enfuit au milieu des huées des enfants. 5

Madame Delorme tapotte ses bouclettes, caresse Nénette nichée dans ses bras, puis se tourne vers Madame Philibert:

— C'est une honte, Madame, d'accuser un joli petit chien comme le vôtre. 10

Et Madame Philibert rentre la mèche dans son chignon, serre Rintintin dans ses bras maigres:

— Et votre chatte, qui est si sage, Madame.

C'est le commencement d'une amitié.[2]

---

[1] ***au lieu de,*** instead of
[2] ***d'une amitié,*** of a beautiful friendship

# Tableau de Paris—IV

## Le Temps des Cerises

C'est une fin de journée, au printemps,[1] dans le quartier latin. A la terrasse d'un café de nombreux étudiants sont assis, des Français et des étrangers venus pour compléter leur éducation en France. Il fait doux et tiède.[2]

Des musiciens ambulants s'arrêtent: un homme et une femme, encore jeunes, des chômeurs sans doute. Il accorde sa guitare et elle commence à chanter. C'est une vieille romance, démodée et sentimentale:

« Lorsque nous serons au temps des cerises,[3]
Et gai rossignol et merle moqueur
Seront tous en fête.[4] »

---

[1] *au printemps,* in the springtime
[2] *Il fait doux et tiède.* It is mild and pleasant.
[3] *au temps des cerises,* in cherry time
[4] (*ils*) *seront tous en fête,* (they) will be in a merry mood

Au début, on les écoute à peine [1] et la voix fatiguée de la femme est presque couverte [2] par le bruit des conversations. Puis, peu à peu,[3] les paroles naïves et la musique banale se glissent dans les cœurs. Les étudiants se taisent, l'un après l'autre: 5

« Mais il est bien court [4] le temps des cerises
Où l'on s'en va deux [5] cueillir en rêvant
Des pendants d'oreille.[6] »

Le temps des cerises! Chacun, dans la douceur de ce soir de printemps, évoque le coin [7] du pays natal 10 où les cerisiers se chargent de [8] fruits au début de l'été.

Pour ce jeune Alsacien, ce sont de grands arbres le long des routes,[9] on aperçoit au loin les sommets des Vosges, et dans l'autre direction le clocher de la 15 cathédrale de Strasbourg; les fruits mûrs tombent dans l'herbe au bord de la route.

Pour cette étudiante venue du pays basque français, c'est une vallée profonde entre les montagnes; des vergers de cerisiers centenaires s'étendent autour 20 du village; les garçons grimpent sur les branches et jettent des bouquets de cerises rouges dans les tabliers tendus des jeunes filles.

Cet Auvergnat pense aux grandes plantations de cerisiers dans la plaine de Limagne où poussent les 25 meilleurs fruits de France au pied des vieux volcans éteints.

---

[1] ***à peine,*** hardly [2] ***couverte,*** (*here*) drowned out
[3] ***peu à peu,*** gradually
[4] ***bien court,*** quite short
[5] ***l'on s'en va deux,*** they go in pairs
[6] ***des pendants d'oreille,*** earrings (*formed by cherries*)
[7] ***évoque le coin,*** evokes the memory of the corner
[8] ***les cerisiers se chargent de,*** the cherry trees are laden with
[9] ***le long des routes,*** along the roads

Ce Savoyard revoit, entre les branches chargées de feuilles vertes et de cerises presque noires, l'eau lisse et profonde d'un beau lac où se reflètent des sommets neigeux.

5 Voici un étudiant de Hongrie, et ses cerisiers poussent à l'infini [1] dans de vastes plaines.

Et ces deux jeunes Américains, à quoi pensent-ils ? [2] Tom se retrouve transporté dans les montagnes du New Hampshire; les cerisiers qui poussent dans la 10 ferme de son grand-père ont été plantés par ses aïeux; il se sent fier d'avoir, lui aussi, une tradition. Bill vient de la lointaine Californie: en ce moment, sous le soleil précoce, les vergers de la vallée de Yucaïpa croulent sous d'énormes cerises juteuses, et 15 les fermiers vendent, au bord des routes, du jus de cerise [3] tout frais. Il est fier d'appartenir à une famille de cultivateurs qui a dompté cette terre sauvage et inculte.

« J'aimerai toujours le temps des cerises
20 Et le souvenir que je garde au cœur.[4] »

Tous ces jeunes gens se sentent transportés chez eux [5] par la magie de cette musique médiocre chantée d'une voix [6] si frêle. Les jeunes filles ont des larmes aux yeux.[7]

25 La chanson est finie et les conversations reprennent. Mais l'émotion demeure au fond des cœurs.

---

[1] *à l'infini,* endlessly
[2] *à quoi pensent-ils?* of what are they thinking?
[3] *du jus de cerise,* cherry cider
[4] *au cœur,* in my heart
[5] *chez eux,* home
[6] *chantée d'une voix,* sung in a voice
[7] *aux yeux,* in their eyes

Et lorsque la chanteuse passe à travers [1] les tables pour faire la quête,[2] les plus pauvres trouvent une pièce de monnaie à déposer dans la soucoupe qu'elle leur tend.

La nuit est venue: c'est l'heure pour la plupart d'entre eux [3] de rentrer dans leur foyer: [4] famille ou pension. Les musiciens pensent aussi au retour; [5]

[1] ***à travers,*** among
[2] ***pour faire la quête,*** to take up the collection
[3] ***la plupart d'entre eux,*** most of them
[4] ***de rentrer dans leur foyer,*** to return home
[5] (*ils*) ***pensent aussi au retour,*** (they) also are thinking of going home

la femme a compté l'argent: vingt francs! C'est une bonne soirée:

— Dépêchons-nous, dit-elle à son mari. Les boucheries sont encore ouvertes: les enfants mangeront de la viande ce soir.

# Un Homme Bien Élevé[1]

Marcel rencontre son ami Gustave dans la rue:
— Bonjour, Gustave, que fais-tu dans ce quartier ?
— Je sors de chez ma sœur Lucie,[2] la nouvelle mariée.[3]
— Qui a-t-elle épousé ? Je ne me souviens plus. 5
— Louis Pelanne.
— Un gentil garçon ?[4]
— Oui et non.
— Que lui reproches-tu ?[5]
— Il n'est pas bien élevé. 10
— Qu'appelles-tu être bien élevé ?
— Avoir de bonnes manières.
— Explique-toi plus clairement.

---

1 ***bien élevé,*** well-bred
2 ***je sors de chez ma sœur Lucie,*** I am coming from my sister Lucy's
3 ***la nouvelle mariée,*** the newlywed
4 ***Un gentil garçon?*** A nice fellow?
5 ***Que lui reproches-tu?*** What have you against him?

— Eh bien! Voici un exemple: Lorsque j'invite Louis à dîner au restaurant, je l'emmène toujours à la Pomme d'Or, bien que [1] je préfère le Mouton d'Argent, parce que je sais qu'il aime mieux [2] la
5 cuisine [3] de la Pomme d'Or; je fais cela parce que je suis un homme bien élevé. Mais lui, il ne m'invite jamais qu'à [4] la Pomme d'Or, et pourtant il sait que je préfère la cuisine du Mouton d'Argent. Il est mal élevé, voilà.

10 — Si je te comprends bien, un homme bien élevé est un homme qui devine le désir des autres et cherche à le satisfaire?

---

[1] ***bien que,*** although
[2] ***il aime mieux,*** he prefers
[3] ***la cuisine,*** the cooking
[4] ***il ne m'invite jamais qu'à,*** he invites me only to

— Oui, c'est une des marques de la bonne éducation.

— Je suis de ton avis.[1]

Ils cheminent ensemble et tout à coup [2] se trouvent devant le restaurant du Mouton d'Argent. 5

— Tiens, dit Marcel, il est l'heure de déjeuner, nous aimons tous les deux [3] ce restaurant, pourquoi ne pas y déjeuner ensemble ?

— Bonne idée, dit Gustave.

Ils commandent un menu simple mais soigné; on 10 leur sert pour commencer un plat de poisson. Le garçon passe le plat d'abord à Gustave, qui prend le meilleur morceau, et Marcel doit se contenter de [4] la queue, qui est pleine d'arêtes.

— Permets-moi, dit Marcel, de te faire remarquer [5] 15 que pour un homme qui se flatte d'avoir de bonnes manières, tu prends le plus fin morceau.

— Pardon, répond Gustave, j'agis ainsi parce que je suis très bien élevé. Suppose que le garçon te serve le premier, que fais-tu ? 20

— Je prends le plus mauvais morceau.

— Eh bien, tu l'as. De quoi te plains-tu ? [6]

---

[1] ***Je suis de ton avis.*** I agree with you.
[2] ***tout à coup,*** all of a sudden
[3] ***tous les deux,*** both
[4] (*il*) ***doit se contenter de,*** (he) must be satisfied with
[5] ***de te faire remarquer,*** to draw your attention to the fact
[6] ***De quoi te plains-tu?*** What are you complaining about ?

# Un Animal Tranquille

Juliette entre dans le salon où Suzanne est assise devant une table à thé servie.[1] Devant la fenêtre, sur un guéridon, est un petit aquarium où tournent deux poissons japonais.

JULIETTE

5 Bonjour, chérie.

*Suzanne se lève et l'embrasse.*

SUZANNE

Bonjour, chérie, c'est gentil de [2] venir me voir. Assieds-toi. (*Elles s'assoient.*) Du thé ?

JULIETTE

Volontiers: très léger [3] . . .

---

[1] ***une table à thé servie,*** a tea table already set
[2] ***c'est gentil de,*** it is nice of you to
[3] ***très léger,*** (*here*) very weak

SUZANNE

Ni sucre, ni citron, ni lait, je connais tes habitudes.

JULIETTE

Merci. Ton thé est si délicieux qu'il ne faut rien y ajouter [1] de peur d'en gâter le parfum.[2]

SUZANNE

Oui, c'est du vrai thé de Chine; ma sœur me l'apporte tous les ans [3] de San Francisco . . . un petit gâteau ? 5

JULIETTE

Non, merci. Je veux maigrir. (*Elle boit et aperçoit l'aquarium.*) Oh ! les jolis poissons ! Qui te les a donnés ?

SUZANNE

Personne. 10

JULIETTE

Comment, personne ? C'est toi qui les as achetés ?

SUZANNE

Oui.

JULIETTE

Tu aimes donc tant les poissons rares ?

SUZANNE

Pas du tout.[4] Je trouve ces animaux stupides.

JULIETTE

Alors ? 15

---

[1] ***il ne faut rien y ajouter,*** one must add nothing
[2] ***de peur d'en gâter le parfum,*** so as not to spoil its flavor
[3] ***tous les ans,*** every year
[4] ***Pas du tout.*** Not at all.

SUZANNE

C'est toute une histoire. Figure-toi que [1] tous les ans je donne un cadeau à ma tante Zélie pour sa fête,[2] et après tant d'années mon imagination commence à s'épuiser. Elle se plaint toujours qu'elle est seule 5 et qu'elle aimerait avoir auprès d'elle un animal favori.[3] Cela me semble une indication et, pour être sûre de lui faire plaisir,[4] je lui dis:

— Madame Poret a un chien si affectueux!

— Un chien dans un appartement, me répond-t- 10 elle, c'est une complication, à moins d'avoir [5] des domestiques, et je n'en ai pas.

— Aimes-tu les chats?

— Je les déteste! Ils sont faux et égoïstes!

— Un oiseau? Un perroquet? Un canari? Il y a 15 des canaris adorables.

— Ils sont adorables, mais un canari, si je m'endors après mon repas, me réveillera en chantant.[6] Et un perroquet, c'est encore pire! Je rêve d'avoir auprès de moi un animal qui bouge, qui me donne l'impres- 20 sion d'un être vivant,[7] mais un animal tranquille!

— C'est dommage que tu n'aimes pas les chats!

Je m'en vais donc, tournant dans mon esprit ce problème: trouver un animal tranquille comme cadeau de fête [8] pour tante Zélie. Quand, en passant 25 devant une boutique, j'aperçois ces poissons qui

---

[1] *figure-toi que,* (*here*) it is like this
[2] *pour sa fête,* for her birthday
[3] *un animal favori,* a pet
[4] *lui faire plaisir,* to please her
[5] *à moins d'avoir,* unless one has
[6] *en chantant,* by his singing
[7] *un être vivant,* a living being
[8] *comme cadeau de fête,* as a birthday gift

s'ébattent dans un aquarium. Tu penses [1] comme je me précipite chez le marchand ! [2] Je choisis deux de ceux qui ont la queue la plus longue et la plus irisée, et je les fais envoyer [3] à tante Zélie avec un petit mot :

« Bonne fête,[4] ma chère tante. Ces messagers silencieux te portent [5] toute ma tendresse. » 5

JULIETTE

Et qu'a-t-elle répondu ?

---

[1] ***tu penses,*** (*here*) you can imagine
[2] ***je me précipite chez le marchand,*** I rush into the shop
[3] ***je les fais envoyer,*** I have them sent
[4] ***bonne fête,*** happy birthday
[5] (***ils***) ***te portent,*** (they) bring you

SUZANNE

Le lendemain, un commissionnaire arrive, chargé d'un paquet marqué: *Fragile, ne pas renverser*, et d'un billet. Le paquet, c'étaient mes poissons! et le billet disait ceci:

5 « Ma chère enfant, je suis très touchée de ta bonne pensée,[1] mais ces créatures m'ont tenue éveillée toute la nuit en faisant flic floc [2] avec leur queue. Désormais, ne m'envoie plus de poissons, ce sont des animaux trop bruyants. »

---

[1] ***touchée de ta bonne pensée,*** touched by your kind thought
[2] ***en faisant flic floc,*** by swishing

# Le Connaisseur en Musique[1]

Sous les arbres du jardin public, Tancrède et Félicien, deux vieux amis, lisent chacun son journal.

— Dis-moi, Tancrède, tu t'y connais bien en musique ?[2]

— Moi ? Je suis le premier connaisseur de la ville. Je ne manque ni un opéra ni[3] un concert. Je puis te chanter tous les grands airs par cœur.

— Alors ! Les trompettes d'*Aïda*, qu'est-ce que c'est ?

— Les trompettes d'*Aïda?* . . . Mais ce sont les trompettes d'*Aïda*, voilà tout ![4] Pourquoi me demandes-tu cela ?

---

[1] ***le connaisseur en musique,*** the music lover
[2] ***tu t'y connais bien en musique?*** are you well versed in music ?
[3] ***je ne manque ni . . . ni,*** I miss neither . . . nor
[4] ***voilà tout,*** that is all

— Le journal annonce pour ce soir une représentation d'*Aïda* au Grand Théâtre, avec Madame Fovette, et, tu vois, c'est écrit là: « Ce soir, sur la scène du Grand Théâtre, retentiront les trompettes d'*Aïda.* » Qu'est-ce que c'est qu'*Aïda?*[1] Un fabricant de trompettes? Le chef d'orchestre?

— Nigaud! tu ne sais donc pas lire? Ce soir une représentation d'*Aïda.* C'est tout simplement le titre de l'opéra.

— Oui, mais qu'est-ce que cela veut dire?[2]

— Tiens! tu me fais pitié.[3] Ce soir, je t'emmène à l'Opéra, pour que tu les entendes ces trompettes.

---

[1] ***Qu'est-ce que c'est qu'Aïda?*** What is *Aïda?*
[2] ***qu'est-ce que cela veut dire?*** what does that mean?
[3] ***tu me fais pitié,*** I am sorry for you

Le soir venu, nos amis s'attardent d'abord autour d'un bon dîner. Ils se dépêchent pour ne pas manquer l'ouverture, et arrivent juste à temps [1] pour le lever du rideau.

Pendant le premier acte Félicien chuchote de temps à autre: [2] 5

— Est-ce bientôt les trompettes? [3]

— Chut! fait Tancrède. Prends patience! [4]

Le rideau se baisse. Les spectateurs applaudissent. Félicien insiste: 10

— Eh bien? Et ces trompettes!

— Patience, je te dis! Je ne connais pas *Aïda* aussi bien que *Faust* ou *Carmen*, et je ne me rappelle plus si les trompettes sonnent au deuxième ou au troisième acte. Ah! *Faust* ou *Carmen*, je puis te 15 les chanter note par note.

Ils sortent pendant l'entr'acte pour fumer une cigarette. Tout à coup,[5] Félicien lève les yeux sur l'affiche:

— Regarde, Tancrède! Lis cette annonce: 20

« Au dernier moment changement du spectacle dû à une indisposition de Madame Fovette. Ce soir, *Faust* avec Madame Pinson. »

C'était le premier acte de *Faust* et pas d'*Aïda!*

— *Faust!* s'écrie le grand connnaisseur en musique, 25 *Faust!* Ah, non! mon bon ami, je ne reste pas! [6] *Faust!* je le connais par cœur! [7]

---

[1] ***juste à temps,*** just in time
[2] ***de temps à autre,*** from time to time
[3] ***Est-ce bientôt les trompettes?*** Are the trumpets coming soon?
[4] ***Prends patience!*** Be patient!
[5] ***tout à coup,*** suddenly
[6] ***je ne reste pas,*** I am not going to stay
[7] ***je le connais par cœur,*** I know it by heart

# On Demande Monsieur Cloutier [1]

*La scène se passe* [2] *aux environs de Paris dans le salon d'une villa élégante, isolée, mais au bord de la route.* [3] *Il fait nuit.* [4] *Tous les volets sont fermés. Par une fente sous la porte on voit un peu de lumière; celle-ci s'éteint; on entend le bruit d'une porte que quelqu'un ferme à clef;* [5] *puis des pas pressés* [6] *qui s'éloignent. Dix minutes se passent.* [7]

*La porte du salon s'ouvre lentement, silencieusement, avec d'infinies précautions; le pinceau de lumière d'une lampe de poche* [8] *traverse l'obscurité; le porteur de la lanterne, suivi d'un autre homme, entre dans la pièce et referme la porte doucement.*

---

[1] ***On demande Monsieur Cloutier.*** Page Mr. Cloutier.
[2] ***la scène se passe,*** the action takes place
[3] ***au bord de la route,*** on the side of the road
[4] ***Il fait nuit.*** It is dark. [5] ***(il) ferme à clef,*** (he) locks
[6] ***des pas pressés,*** hurried steps [7] ***se passent,*** elapse
[8] ***une lampe de poche,*** a flashlight

LE FRISÉ [1]

Eh bien, tu vois, nous y sommes!

JUJULES [2]

Je n'ose pas bouger; il fait si noir! [3]

LE FRISÉ

Attends! J'ai trouvé le commutateur. (*Il tourne un bouton; l'électricité s'allume au plafond.*)

JUJULES

Prends garde! [4] On voit la lumière de la route. 5

LE FRISÉ

Tant mieux.[5] Tout le monde sait qu'il y a un gardien dans la maison. Il vaut mieux [6] qu'on croie qu'il est encore là. C'est une bonne idée de l'avoir éloigné.[7] Le temps d'aller au village où il croit que sa mère est malade, et d'en revenir, cela fera bien 10 une heure.[8] Il ne nous en faut pas autant [9] pour terminer notre petite besogne.

JUJULES

Tu as raison; [10] ne perdons pas de temps! (*Ils examinent les murs et les meubles; Jujules appelle:*) Viens! Voilà le coffre-fort dans le mur; tu vois cette 15 fente dans la boiserie?

---

1 ***Le Frisé,*** Curly
2 ***Jujules,*** Jules
3 ***il fait si noir,*** it is so dark
4 ***Prends garde!*** Be careful!
5 ***Tant mieux.*** So much the better.
6 ***il vaut mieux,*** it is better
7 ***de l'avoir éloigné,*** to have sent him away
8 ***cela fera bien une heure,*** that will easily take an hour
9 ***il ne nous en faut pas autant,*** we do not need that much
10 ***tu as raison,*** you are right

LE FRISÉ

Bien! Espérons qu'il n'est pas vide! (*Il tire des instruments de sa poche et explore chaque fissure dans le mur.*) Ça y est, j'ai la serrure: Attention!

JUJULES

Je n'aime pas beaucoup travailler dans ces conditions. Nous ne savons rien de cette maison ni des types qui l'habitent. Nous croyons que les propriétaires sont partis parce que depuis trois jours nous n'avons vu personne que[1] le gardien. Ils peuvent revenir à tout moment.[2]

LE FRISÉ (*toujours*[3] *occupé avec la serrure*)

Tu es toujours pessimiste!

JUJULES

Je viens de faire trois ans de prison![4] J'aime l'air pur et la liberté. Et puis, il est sans doute vide, ce coffre-fort: des gens qui s'absentent mettent leur argent et leurs bijoux à la banque.

LE FRISÉ

Pas toujours, c'est grâce à cela que nous vivons, nous autres pauvres voleurs. . . . Attention! Quelque chose remue; approche la lumière; je crois que je l'ai! (*Jujules approche la lampe, on entend un déclic, la porte du coffre-fort tourne sur ses gonds.*)

---

[1] ***nous n'avons vu personne que,*** we have not seen anybody except

[2] ***à tout moment,*** at any moment

[3] ***toujours,*** (*here*) still

[4] ***Je viens de faire trois ans de prison!*** I have just spent three years in jail!

Tiens! Tu vois, des écrins! Attends que[1] j'ouvre celui-ci: des perles! celui-là, un bracelet d'émeraudes! (*Il continue à fouiller dans le coffre-fort. Jujules lui tend un sac où il jette les bijoux.*)

JUJULES

Les gens sont bien imprudents! 5

UNE VOIX DE LA PORTE

C'est bien mon avis,[2] haut les mains![3] (*Ils se retournent, les mains en l'air; le sac tombe par terre. Dans le cadre de la porte ouverte, un monsieur en manteau de voyage les vise d'un revolver.*[4]) Ne bougez pas, mes gaillards, vous êtes pris sur le fait![5] 10

LE FRISÉ

De quoi vous mêlez-vous?[6] Qui êtes-vous?

LE MONSIEUR EN MANTEAU

Je suis Monsieur Cloutier, et j'habite cette maison!

JUJULES (*gémissant*)

Tu vois! Fini pour moi l'air pur et la liberté!

M. CLOUTIER

Tournez-vous! (*Ils obéissent.*) Gardez les mains en l'air! Marchez droit! (*Ils avancent; il ouvre la porte d'un placard.*) Entrez! 15

LE FRISÉ

Là dedans? . . . Pourquoi?

---

[1] ***attends que,*** wait until
[2] ***c'est bien mon avis,*** I think so, too
[3] ***haut les mains,*** hands up
[4] (***il***) ***les vise d'un revolver,*** (he) covers them with a gun
[5] ***vous êtes pris sur le fait,*** you are caught redhanded
[6] ***De quoi vous mêlez-vous?*** What business is it of yours?

M. CLOUTIER

Pour vous mettre à l'abri pendant que [1] j'appelle la police. Je suis plein de sollicitude. (*Ils entrent; il ferme la porte du placard à clef, ramasse le sac de bijoux, s'éponge le front, en poussant un soupir de soula-*
5 *gement, et se retourne vers la porte. A ce moment entrent deux messieurs.*)

Ier MONSIEUR

Je vous demande pardon, Monsieur. De la route il me semble avoir entendu des éclats de voix. Puis-je vous être utile ? [2]

M. CLOUTIER (*un peu nerveux*)

10 Aucunement ! [3] Merci, Monsieur.

Ier MONSIEUR

En êtes-vous bien sûr ? Je suis Inspecteur de Police, (*il sort* [4] *sa carte*) et voici mon aide.

M. CLOUTIER (*effaré*)

Inspecteur de Police ?!

Ier MONSIEUR

De la Sûreté Générale de Paris, Inspecteur Bar-
15 bier.

M. CLOUTIER (*soulagé*)

De Paris ! En effet, vous n'êtes pas du pays ! [5] Je suis Charles Cloutier, propriétaire de cette maison.

---

[1] ***pour vous mettre à l'abri pendant que,*** to keep you in a safe place while

[2] ***Puis-je vous être utile?*** Can I be of any service to you ?

[3] ***Aucunement!*** None whatsoever !

[4] ***il sort,*** he takes out

[5] ***vous n'êtes pas du pays,*** you are not from this part of the country

M. BARBIER

Enchanté, Monsieur. (*Ils se serrent la main.*) [1]

M. CLOUTIER (*frappé d'une* [2] *idée*)

Mais alors, Inspecteur, ceci change toute la question! Votre arrivée est providentielle! Je viens de prendre en flagrant délit [3] deux cambrioleurs qui ont fracturé mon coffre-fort. Ils sont enfermés dans ce 5 placard; je vais les remettre entre vos mains, vous pouvez les emmener. (*Il ouvre la porte du placard. Le Frisé et Jujules sortent.*)

M. BARBIER

Ah! Voilà de vieilles connaissances! Jujules, tu aimes donc tant la prison! Gaspard! (*Il se tourne* 10 *vers son aide.*) Mets-leur les menottes! (*Gaspard met les menottes aux deux voleurs consternés. Monsieur Cloutier tend la main à* [4] *l'Inspecteur.*)

M. CLOUTIER

Il ne me reste plus qu'à [5] vous remercier et à vous dire au revoir, Inspecteur. Vous êtes sans doute 15 pressé de les emmener à la police.

M. BARBIER

Pas si vite, pas si vite, Monsieur! Il y a des formalités à remplir. (*Il s'assied et tire un carnet de sa poche.*) La liste de vos bijoux, s'il vous plaît?

---

[1] ***Ils se serrent la main.*** They shake hands.
[2] ***frappé d'une,*** struck by a
[3] ***je viens de prendre en flagrant délit,*** I just caught redhanded
[4] (***il***) ***tend la main à,*** (he) offers his hand to
[5] ***il ne me reste plus qu'à,*** there is nothing left for me to do but to

M. Cloutier

Cela peut vraiment attendre à demain, Inspecteur! Vous savez où me trouver; il est tard . . .

M. Barbier

Je regrette, Monsieur, mais la loi est la loi. Il faut que je [1] m'assure de plusieurs détails . . .
5 (*A ce moment, un monsieur d'un certain âge,*[2] *bien habillé, entre dans le salon.*)

Le Monsieur

Que se passe-t-il ici? [3] Voulez-vous me faire le plaisir de me dire ce que vous faites chez moi? [4] (*Tout le monde se retourne et le regarde avec stupeur.*)

M. Barbier

10 Chez VOUS!!? Voyons, Monsieur, entendons-nous. Qui êtes-vous?

Le Monsieur

Qui êtes-vous, vous-même? Que faites-vous chez moi? Je suis Monsieur Cloutier, propriétaire de cette maison.

M. Barbier

15 Pas possible! Cet autre monsieur-là prétend être aussi Monsieur Cloutier. Quant à moi [5] je ne suis qu'[6]un inspecteur de police, et voici deux voleurs

---

[1] ***il faut que je,*** I must
[2] ***d'un certain âge,*** middle-aged
[3] ***Que se passe-t-il ici?*** What is going on here?
[4] ***chez moi,*** in my house
[5] ***quant à moi,*** as far as I am concerned
[6] ***je ne suis qu',*** I am only

qui ont, à ce qu'il paraît,[1] dévalisé votre coffre-fort.

LE MONSIEUR

Monsieur l'Inspecteur! Cet homme-là est un imposteur! Je suis Monsieur Cloutier! Et maintenant voulez-vous avoir l'obligeance de me dé- 5

[1] *à ce qu'il paraît,* so it seems

barrasser de cette bande de voleurs et de me laisser en paix chez moi ?

M. BARBIER

C'est curieux comme tout le monde a l'air pressé de me voir partir ! Monsieur, j'ai à faire [1] mon devoir, 5 et il consiste, en premier lieu,[2] à vérifier votre identité et celle de l'autre Monsieur Cloutier.

(*A ce moment le Ier Monsieur Cloutier sort furtivement son revolver de sa poche, mais Gaspard le guette. D'un coup sec* [3] *sur le bras il fait tomber l'arme* [4] *et la* 10 *ramasse. Pendant ce temps Monsieur Cloutier No 2 essaie de gagner la porte. Monsieur Barbier se précipite pour l'arrêter. Un bruit se fait entendre* [5] *au dehors, et cinq agents de police conduits par le gardien font leur entrée.*)

M. BARBIER

15 Il était temps ! (*Aux policiers.*) Les menottes à ces hommes ! (*Il désigne les deux Cloutiers, puis se tourne vers Jujules et Le Frisé.*) Vous ne vous appelez pas Cloutier par hasard ? [6] C'est curieux, le nom semble très répandu [7] ici !

LE GARDIEN

20 Ah ! Monsieur l'Inspecteur, j'ai couru aussi vite que j'ai pu !

M. BARBIER

Tout est parfait, mon ami. Lorsque mon vieil ami, Monsieur Cloutier (*il se tourne vers les deux impos-*

---

[1] ***j'ai à faire,*** I have to do
[2] ***en premier lieu,*** in the first place
[3] ***d'un coup sec,*** with a sharp blow
[4] ***il fait tomber l'arme,*** he makes him drop the gun
[5] ***un bruit se fait entendre,*** a noise is heard
[6] ***par hasard,*** by any chance
[7] ***le nom semble très répandu,*** (*here*) the name seems very popular

*teurs*), le *vrai* Monsieur Cloutier est parti pour le Brésil la semaine dernière, il m'a demandé de surveiller sa maison. J'ai pris l'habitude [1] de venir me promener de ce côté [2] tous les soirs. Je me suis aperçu que cette maison déserte semblait intéresser beaucoup de monde. C'est pourquoi (*il parle au gardien*) lorsque vous avez reçu ce faux message vous demandant de venir au village auprès de votre mère malade, je vous ai averti de revenir au plus vite [3] avec toute la police du canton. Allons! Fourrez-moi tout ce monde [4] en prison!...

[1] ***j'ai pris l'habitude,*** I made it a habit
[2] ***de ce côté,*** around here
[3] ***au plus vite,*** as quickly as possible
[4] ***tout ce monde,*** all these people

# Un Peu de Silence, S'Il Vous Plaît

Je rencontre dans la rue mon vieil ami, l'écrivain Félix O . . . Il semble furieux; il est rouge, il gesticule et parle en marchant.[1]

— Eh bien, Félix ? Qu'y a-t-il ? [2]

5 — Ah . . . ! Une aventure suffisante pour mettre en colère [3] le plus doux des hommes.

— Raconte-moi cela !

Nous nous asseyons à la table d'un café et Félix commence :

10 — Tu sais combien je déteste le bruit. J'ai besoin de silence pour travailler. C'est pourquoi je demeure depuis vingt ans [4] dans le même appartement. Au-

[1] ***en marchant,*** while walking
[2] ***Qu'y a-t-il?*** What is the matter ?
[3] ***pour mettre en colère,*** to enrage
[4] ***je demeure depuis vingt ans,*** I have been living for the last twenty years

dessus de moi, une vieille dame paralysée qui ne quitte pas son lit. Le paradis pour moi.

— Je sais, alors ?

— Alors ? Il y a deux mois,[1] la vieille dame meurt. Et, peu après, son appartement est loué par une famille très convenable, mais avec quatre enfants.

— Ah ! j'imagine; des cris, des pleurs, des disputes . . .

— Mais non. Ces enfants sont doux et bien élevés. Mais ils courent toute la journée [2] d'une chambre à l'autre, et ce piétinement me rend fou ! [3]

— Ils n'ont pas de tapis ?

Mais non ! Et voilà mon histoire ! Un jour de la semaine dernière je monte chez eux.[4] Je me présente :

— Monsieur, Madame, mes hommages. Je suis votre voisin, j'habite au-dessous de votre appartement; j'écris des livres, mon nom est Félix O . . .

— Oh ! Monsieur ! Nous sommes très honorés. Ma femme et moi admirons beaucoup votre talent, nous lisons tous vos livres. (Tu vois, des gens très bien.) [5]

— Je vois.

La conversation continue. Je suis un peu embarrassé, mais j'attaque mon sujet :

— Monsieur, vos enfants sont charmants; mais je les entends courir toute la journée au-dessus de ma tête, et, naturellement, cela m'empêche de travailler.

— Je comprends, Monsieur, et je suis désolé. Mais

---

[1] ***il y a deux mois,*** two months ago
[2] ***toute la journée,*** all day long
[3] ***me rend fou,*** drives me crazy
[4] ***je monte chez eux,*** I go up to their place
[5] ***des gens très bien,*** very nice people

ce sont de jeunes enfants; ils ont besoin d'activité;[1] nous ne pouvons pas les attacher.

— Je ne suis pas si barbare! Mais ne vous est-il pas possible[2] de faire poser des tapis[3] dans votre appartement?

— Des tapis? C'est une solution. Mais cela coûte très cher,[4] au moins quatre mille francs. Et après l'emménagement, je ne puis pas me permettre cette nouvelle dépense.

— Je réfléchis. Évidemment, cet homme a raison:[5] il a de lourdes responsabilités: quatre enfants!... Oui, mais ma tranquillité vaut de[6] l'argent aussi. Je tire mon carnet de chèques[7] de ma poche:

— Monsieur, voulez-vous me permettre de vous offrir ces tapis? Non, ne protestez pas; ce n'est pas un cadeau. Je considère cela comme une partie de mes frais de travail.[8] Le silence m'est indispensable pour écrire. C'est moi que vous obligez.

Après une discussion pas trop longue, un échange de politesses et de remerciements, je rentre chez moi[9] plus pauvre de[10] quatre mille francs, mais espérant pouvoir enfin écrire en paix.

En effet, dès le lendemain, silence absolu. Je n'entends plus aucun bruit de semelles enfantines galopant sur des planchers sonores. Je travaille divinement. Vers le soir, tandis que j'allume une

---

[1] ***ils ont besoin d'activité,*** they need exercise
[2] ***ne vous est-il pas possible,*** is it not possible for you
[3] ***de faire poser des tapis,*** to have carpets put down
[4] ***coûte très cher,*** is very expensive
[5] (***il***) ***a raison,*** (he) is right
[6] ***vaut de,*** is worth some
[7] ***mon carnet de chèques,*** my checkbook
[8] ***mes frais de travail,*** my overhead
[9] ***je rentre chez moi,*** I return home
[10] ***de,*** (*here*) by

pipe bien méritée, je m'étonne soudain: ils ont fait poser ces tapis [1] bien vite! Comment peut-on obtenir un service aussi rapide? Il faut que je monte [2] demander à mes voisins l'adresse de ce tapissier extraordinaire. Je sonne, la domestique m'introduit 5 au salon, et je contemple stupéfait un plancher brillant comme un miroir, pas l'ombre d'un tapis.[3]

[1] ***ils ont fait poser ces tapis,*** they had those carpets put down
[2] ***il faut que je monte,*** I must go up
[3] ***pas l'ombre d'un tapis,*** not a trace of a carpet

Le père de famille entre, un peu gêné; l'étonnement qu'il lit sur mon visage demande une explication.

— Vous vous demandez: où sont les tapis ? Eh bien, c'est une idée de ma femme: des pantoufles de
5 feutre pour les enfants, donc plus de bruit de pas; quatre paires de pantoufles coûtent environ cent francs. Avec les trois mille neuf cents francs qui restent, elle s'achète en ce moment un manteau de fourrure.

# *Un Domestique Discret*

SCÈNE I

*Six heures et demie du soir.* RENÉ CLODION *est assis dans son cabinet de travail. Le téléphone sonne; il décroche l'appareil:* [1]

RENÉ

Allô! ici René Clodion . . . Ah! c'est toi Henri? . . . Tu vas bien? [2] . . . Moi aussi . . . Ce que je fais [3] ce soir? J'ai l'intention d'aller au théâtre voir *Mon papa ne le veut pas*. On dit que c'est très amusant . . . Comment? . . . Dîner avec toi et le docteur Bréant, le grand savant? . . . Oh! mais avec plaisir! Cela m'intéresse beaucoup plus que d'aller au théâtre . . . Seulement c'est dommage de laisser perdre mon

[1] ***il décroche l'appareil,*** he takes down the receiver
[2] ***Tu vas bien?*** You are well?
[3] ***ce que je fais,*** what am I doing

billet.[1] Connais-tu quelqu'un à qui le donner ? [2] . . . Aucun de tes amis n'est [3] libre ? . . . Tant pis ! [4] Et puis, il est tard, tout le monde a déjà arrangé sa soirée . . . Que dis-tu ? Le donner à Albert, mon
5 nouveau domestique ? . . . Ce n'est pas une mauvaise idée . . . Je suis très content de [5] son service. Oui, c'est un garçon de la campagne,[6] mais il comprend très vite ce qu'on [7] demande de lui . . . Je suis sûr de lui faire plaisir, c'est sans doute sa première
10 soirée au théâtre . . . les impressions d'un jeune homme naïf comme lui, cela peut être curieux . . . Alors, je vais m'habiller. A tout à l'heure [8] et merci d'avoir pensé à moi.

*Il sonne. Albert entre.*

ALBERT

15 Monsieur désire ? [9]

RENÉ

Albert, je ne dîne pas ici. Préparez mon smoking et mes souliers noirs vernis. A propos,[10] j'ai ici un billet de théâtre pour une pièce très amusante, dont je ne peux pas profiter.[11] Le voulez-vous ? Je vous
20 donne votre soirée.[12] Réveillez-moi demain matin à sept heures.

---

[1] ***c'est dommage de laisser perdre mon billet,*** it is a pity to let my ticket go to waste

[2] ***à qui le donner,*** to whom I might give it

[3] ***aucun . . . n'est,*** not one . . . is [4] ***Tant pis!*** Too bad!

[5] ***content de,*** satisfied with

[6] ***un garçon de la campagne,*** a country boy

[7] ***ce qu'on,*** what one

[8] ***à tout à l'heure,*** until later

[9] ***Monsieur désire ?*** The master wishes ? (*In France, well-trained servants address their employers in the third person; notice, therefore, Albert's replies and render them in good English.*) You wish, Sir ?

[10] ***à propos,*** by the way

[11] ***dont je ne peux pas profiter,*** which I cannot use

[12] ***Je vous donne votre soirée.*** I give you the evening off.

ALBERT

Merci beaucoup, Monsieur. Je suis très content de profiter de la générosité [1] de Monsieur; c'est la première fois que j'ai l'occasion d'aller au théâtre.

(*Il prépare les vêtements de René, le rideau tombe.*)

## SCÈNE 2

*Le lendemain matin, sept heures. La chambre à* 5
*coucher de* RENÉ CLODION. *Il est encore au lit.*[2] *On frappe à la porte, il s'éveille.*

RENÉ

Entrez!

ALBERT (*entrant*)

Bonjour, Monsieur. Monsieur a bien dormi? Il est sept heures. 10

RENÉ

Bonjour, Albert. Ma robe de chambre et mes pantoufles. (*Albert les lui tend.*[3]) Et dites-moi, Albert, cette soirée au théâtre? Quelles sont vos impressions? Je suis curieux de les connaître.

ALBERT

Mes impressions? Eh bien, Monsieur, voilà! 15
(*Pendant qu'il parle il suit* [4] *René dans la salle de bain, lui prépare son rasoir, le blaireau et le savon. René, tout en écoutant,*[5] *commence à se raser.*) Donc,[6]

---

[1] ***profiter de la générosité,*** make use of the generosity
[2] ***au lit,*** in bed
[3] ***Albert les lui tend.*** Albert hands them to him.
[4] ***il suit,*** he follows
[5] ***tout en écoutant,*** while listening
[6] ***donc,*** well

Monsieur, après le départ de Monsieur, je m'habille, je dîne et je vais au théâtre. Un beau bâtiment, plus beau que l'hôtel de ville chez nous! [1] J'entre, on me dit de m'asseoir à une place; je regarde autour de moi. Je vois une grande salle, drôlement bâtie en demi-cercle, avec un tas de gens assis comme moi. On tape trois coups: [2] tout le monde se tait. Alors, Monsieur, un grand rideau se lève et je vois une autre chambre, plus petite, avec de vrais meubles, et il y a une jolie dame toute seule. Voilà qu'[3]un monsieur entre, et devant tout le monde il l'embrasse. Et ils parlent; elle dit qu'elle est triste parce que son père lui défend de revoir le jeune homme, et le jeune homme

[1] ***l'hôtel de ville chez nous,*** the town hall at home
[2] ***on tape trois coups,*** there are three knocks (*In France three knocks on the floor indicate that the curtain is about to rise.*)
[3] ***voilà que,*** soon

lui dit ce qu'il pense du papa,[1] et ça n'est pas gentil,[2] je vous assure, Monsieur. Alors moi, je me dis: « Ces gens-là sont en train de discuter[3] leurs petites affaires,[4] et ça ne me regarde pas. »[5] Alors, Monsieur, en homme discret[6] je me lève, je m'en vais et je rentre me coucher . . . Oh ! Monsieur vient de se couper ![7] 5

---

[1] ***ce qu'il pense du papa,*** what he thinks of her father
[2] ***ça n'est pas gentil,*** that is not nice
[3] (***ils***) ***sont en train de discuter,*** (they) are discussing
[4] ***leurs petites affaires,*** their private affairs
[5] ***ça ne me regarde pas,*** that does not concern me
[6] ***en homme discret,*** being a discreet man
[7] ***Monsieur vient de se couper!*** You just cut yourself, Sir !

# Jeannine

Je veux vous parler de Jeannine. Elle est blonde; ses yeux sont bruns. Elle est adorable.

C'est au bal que j'ai rencontré Jeannine. Il me semble que c'était hier.

5 C'est un bal comme tous les autres. Il y a des lumières, des fleurs, de jolies filles; je danse avec Éliane Deval. Éliane est cette belle et grande brune qui bavarde incessamment. Avec elle, on ne se fatigue pas à répondre; elle ne vous laisse pas le 10 temps de parler.

— Jeannine n'est-elle pas ravissante ce soir? me dit-elle en dansant.[1]

— En effet. Et mes yeux suivent une petite personne toute blonde et légère dans sa robe de dentelles. 15 Son cavalier est un jeune homme que je ne connais pas. Profitant d'un instant où Éliane reprend haleine, je demande:

[1] ***en dansant,*** while we are dancing

— Avec qui danse-t-elle ?

— Jacques Norbert, un garçon charmant. C'est un ami d'enfance de Jeannine; on les voit beaucoup ensemble. On dit même . . . mais on dit tant de choses ! . . . Enfin vous me comprenez . . . C'est un couple bien assorti, n'est-ce pas ?

— Mais . . . oui ! Je manque d'enthousiasme.

— Oh ! Je ne trahis pas un secret ! Tout le monde en parle.[1] C'est presque officiel.

Nous continuons à danser. Éliane déverse des flots de paroles. Je n'écoute pas. Mon esprit est absorbé par la pensée de cette petite blonde, tout à l'heure[2] encore une inconnue, à qui je n'ai jamais parlé. Et parmi tant de jeunes filles ravissantes, elle seule compte pour moi.

La voix infatigable d'Éliane m'exaspère; les couples qui nous heurtent en dansant m'irritent. Les pieds me font mal.[3] J'en ai assez.[4]

— Vous permettez ? Quelqu'un me tape sur l'épaule.

— Certainement.

— Oh ! Jacques ! Je vous présente Monsieur Denis Favre. Denis, Monsieur Norbert.

Et elle s'éloigne au bras de son nouveau danseur. Mes regrets ne la suivent pas. Je me sens délivré, léger, heureux, et il me faut[5] quelques minutes pour m'apercevoir que je danse toujours[6] . . . Je danse avec . . . Jeannine ! Elle me regarde de ses grands yeux[7] bruns sérieux.

---

[1] ***en parle,*** speaks of it [2] ***tout à l'heure,*** just now

[3] ***Les pieds me font mal.*** My feet hurt me.

[4] ***J'en ai assez.*** I have enough of it. [5] ***il me faut,*** it takes me

[6] ***je danse toujours,*** I am still dancing

[7] ***elle me regarde de ses grands yeux,*** she looks at me with her big eyes

— Vous êtes Monsieur Denis Favre?
— Oui, Mademoiselle. J'ose à peine [1] la regarder.
— C'est tout ce que vous avez à me dire? [2]
— Oh, non! mais je crois qu'il vaut mieux me
5 taire.[3]
— Pourquoi?
Avant que je trouve une réponse quelqu'un intervient et Jeannine ne danse plus avec moi.
Je m'éponge le front. Je sors dans le jardin pour y
10 trouver de la fraîcheur. L'air est pur et embaumé. J'allume une cigarette, et je me laisse aller à [4] l'enchantement de la nuit. Mais un couple qui sort par la porte-fenêtre vient troubler ma solitude. Je reviens vers la salle où m'attire le son de la musique,
15 et aussi un secret espoir de revoir Jeannine.
Nous dansons ensemble de nouveau. Je propose un tour de jardin.[5] Sur un banc libre nous nous asseyons. Elle murmure:
— Quelle belle nuit!
20 — Oui, mais il va pleuvoir.
Elle me regarde, les yeux pleins de reproches.
— Pleuvoir! C'est tout ce que vous avez à me dire!
— Oh! non! A propos, j'ai fait la connaissance de
25 votre Jacques Norbert.
— Vraiment? [6] son ton est glacé... Il vous plaît? [7]

---

[1] ***j'ose à peine,*** I hardly dare
[2] ***C'est tout ce que vous avez à me dire?*** Is that all you have to tell me?
[3] ***il vaut mieux me taire,*** it is better if I keep silent
[4] ***je me laisse aller à,*** I yield to
[5] ***un tour de jardin,*** a stroll in the garden
[6] ***vraiment,*** is that so
[7] ***Il vous plaît?*** You like him?

— Beaucoup.
— Je le connais depuis des années.
Silence. Je balbutie:
— C'est dommage.[1]
— Qu'est-ce qui est dommage ? 5
— Rien. Je pensais à [2] quelque chose.
— A quoi ?
— Il me semble que moi aussi, je vous connais depuis longtemps.
— Est-ce cela qui est dommage, Monsieur Favre ? 10
— Non ! Pas du tout ! [3] Je pensais à autre chose.
— Vous semblez penser beaucoup.
— Oui, j'ai beaucoup pensé à vous toute la soirée. C'est parfaitement idiot. Je vous connais à peine. Nous n'avons pas échangé vingt paroles, et je suis 15 tout à l'envers.[4] Vous allez épouser Jacques Norbert ?
— Que dites-vous ?
— Vous m'avez entendu . . . J'en suis malade . . . Si j'osais . . .
Un appel joyeux de la porte-fenêtre m'arrête. La 20 grande silhouette de Jacques Norbert se profile sur le salon éclairé.
— Vous voilà ! Je vous cherchais partout.
C'est moi qu'il regarde, mais c'est à elle qu'il parle.
— Nous n'avons pas bougé d'ici, dit-elle. Il fait 25 si chaud [5] dedans. Nous sommes venus prendre l'air.
— Eh bien, maintenant que vous êtes reposée, vous m'accorderez peut-être cette danse, si Monsieur Favre le permet.
Que puis-je faire ? Sans oser regarder Jeannine 30

---

[1] ***C'est dommage.*** That is too bad.
[2] ***je pensais à,*** I was thinking of [3] ***Pas du tout!*** Not at all !
[4] ***je suis tout à l'envers,*** I am all upset
[5] ***il fait si chaud,*** it is so hot

j'acquiesce de la tête.[1] Elle se lève, prend son bras et s'éloigne avec lui.

Idiot! Goujat que je suis![2] J'ai presque fait une déclaration[3] à une jeune fille que je sais fiancée à
5 un autre. J'ai honte de[4] moi-même. Je voudrais me cacher! Partir! Partir au plus vite, sans attirer l'attention de personne![5]

* * *

Des mois ont passé. Un jour, je visite une exposition de peinture. Devant un tableau représentant
10 un bouquet de roses, j'aperçois une chevelure blonde que rien n'a pu me faire oublier.

— Jeannine!

Elle me tend gravement la main.

— Comment allez-vous?[6]

15 — Très bien, merci! Et vous?

— Très bien aussi. Voulez-vous vous asseoir avec moi sur cette banquette?

Nous nous asseyons. Elle continue:

— Vous avez l'air en bonne santé.[7]

20 Ses yeux pétillent. Dans mon embarras je rectifie ma cravate.

— Vous aussi.

— C'est tout ce que vous avez à me dire?

— Hélas, oui! La dernière... et première fois
25 que je vous ai vue, j'ai été si maladroit. Pouvez-vous me pardonner?

---

[1] ***j'acquiesce de la tête,*** I consent with a nod
[2] ***Goujat que je suis!*** What a cad I am!
[3] ***j'ai presque fait une déclaration,*** I almost proposed
[4] ***j'ai honte de,*** I am ashamed of
[5] ***personne,*** (*here*) anybody
[6] ***Comment allez-vous?*** How are you?
[7] ***Vous avez l'air en bonne santé.*** You look very well.

— Je crois que oui,[1] à une condition.[2] Je voudrais vous poser une question: [3] y répondrez-vous ?

— Volontiers, si je peux.

— Qu'est-ce qui vous a fait [4] croire que j'allais épouser Jacques Norbert ? 5

— Mais . . . Éliane Deval me l'a presque dit. J'ai perdu la tête . . . Vous permettez que j'allume une cigarette ?

— Mais oui.

Tandis que je tape ma cigarette elle reprend: 10

— Ah! Éliane! L'avez-vous revue ?

---

[1] ***je crois que oui,*** I believe so
[2] ***à une condition,*** on one condition
[3] ***poser une question,*** to ask a question
[4] ***qu'est-ce qui vous a fait,*** what made you

— Non.
— Elle est mariée, vous savez ?
— Vraiment ?
— Oui, avec Jacques Norbert. Depuis un mois.
5 Ils sont très heureux.

Son regard se fixe sur l'angle d'un cadre. Je me penche vers elle.

— Il n'a jamais été question que j'épouse Jacques Norbert.[1]

10 Je lui prends la main.[2] Je retrouve mon éloquence.

A six heures du soir, un employé nous avertit que la galerie va fermer. Nous nous levons.

Le lendemain, nous allons ensemble chez le bijoutier.

15 La bague est très jolie. Une simple perle. C'est Jeannine qui l'a choisie.

---

[1] ***Il n'a jamais été question que j'épouse Jacques Norbert.*** My marrying Jacques Norbert was always out of the question.
[2] ***Je lui prends la main.*** I take her hand.

# Deuxième Partie

# Le Cochon de Carcassonne

($13^{me}$ siècle)

Le roi de France était en guerre contre le riche et puissant comte de Toulouse. Il avait placé à la tête de ses armées un chef dur et têtu, Simon de Montfort.

Simon avait dirigé ses troupes vers Carcassonne. C'était une ville forte et prospère, installée au sommet d'une colline, et entourée d'une ceinture de murailles [1] si solides qu'on peut les voir encore aujourd'hui, dominant la plaine.[2] Carcassonne, derrière cette barrière, se sentait imprenable, et ses habitants ne craignaient rien. Lorsque les armées de Simon de Montfort marchèrent à travers la plaine, pillant et détruisant tout sur leur passage, les populations des

---

[1] ***entourée d'une ceinture de murailles,*** surrounded by a circle of walls

[2] *En réalité la majorité de l'enceinte actuelle de Carcassonne date du $14^{me}$ siècle et a remplacé les premières murailles détruites. Une partie a été considérablement rebâtie au $19^{me}$ siècle par l'architecte Viollet-le-Duc.*

campagnes s'enfuirent et cherchèrent refuge à l'intérieur de la ville.

Après les premiers essais d'attaque, Simon de Montfort comprit que s'il s'obstinait à lancer ses troupes à l'assaut de la ville, il perdrait la plupart de ses soldats. En effet, bien protégés par leurs fosses et leurs murs, les défenseurs de Carcassonne faisaient pleuvoir [1] du haut des tours [2] du plomb fondu, de l'huile et de la poix bouillantes sur la tête des assaillants qui s'approchaient de trop près,[3] tandis que les archers lançaient des flèches sur les arrière-gardes. Il décida de faire le siège de [4] la ville. Les tentes furent dressées, l'armée disposée en cercle, de telle sorte que [5] personne ne pouvait ni sortir de Carcassonne, ni y entrer.

Ce siège dura longtemps. Au commencement, les Carcassonnais espérèrent que Simon de Montfort se fatiguerait, mais bientôt ils s'aperçurent que leur assaillant avait comme principales caractéristiques la patience et la volonté. Ils s'aperçurent aussi que les provisions entassées dans la ville diminuaient d'autant plus que [6] la population s'était accrue des réfugiés des campagnes. Ils comprirent que l'armée du roi de France allait les prendre par la faim.

Réunis en conseil, les chefs de la ville décidèrent de rationner la population. Ils n'espéraient plus voir Simon de Montfort perdre patience et lever le siège, mais ils avaient conçu un plan, et pour la réalisation de ce plan, il fallait gagner du temps.

---

[1] *(ils) faisaient pleuvoir,* (they) poured
[2] *du haut des tours,* from the top of the towers
[3] *qui s'approchaient de trop près,* who came too near
[4] *de faire le siège de,* to lay siege to
[5] *de telle sorte que,* in such a way that
[6] *d'autant plus que,* all the more since

La Cité de Carcassonne

Il y avait des souterrains sous la ville; ils permettaient de s'échapper sans être vu de[1] ceux qui guettaient les portes et les murailles, mais malheureusement, ils débouchaient sur les terrains occupés à présent par l'armée du roi de France. Les Carcassonnais décidèrent de creuser ces souterrains beaucoup plus avant.[2] Ils divisèrent les défenseurs de la ville en deux troupes; l'une restait à guetter aux créneaux des tours, de crainte[3] d'une attaque par surprise, l'autre troupe, armée de pelles et de bêches, creusait nuit et jour; puis au bout de[4] quelque temps, cette troupe allait remplacer les guetteurs qui prenaient

[1] ***sans être vu de,*** without being seen by
[2] ***de creuser . . . beaucoup plus avant,*** to dig a great deal farther
[3] ***de crainte,*** for fear
[4] ***au bout de,*** after

leur place sous terre. Les femmes, les enfants aidaient à ce travail, emportant la terre enlevée dans des paniers et des hottes attachées à leurs dos. Pendant ce dur travail la faim se faisait de plus en 5 plus sentir,[1] car les provisions diminuaient. Depuis longtemps on n'avait plus de viande fraîche, les derniers poulets et les derniers cochons n'étaient plus qu'un souvenir.[2] Un jour, des enfants qui passaient dans une des rues silencieuses crurent entendre des 10 cris aigus qui semblaient sortir d'une maison misérable appartenant à une très vieille et très pauvre femme. La faim ne tue pas la curiosité chez les enfants,[3] aussi se pressèrent-ils contre les volets de bois, et, à travers un trou ils contemplèrent un 15 spectacle dont ils auraient ri en d'autres temps.[4] La vieille, armée d'[5]un grand couteau, tirait par la queue un beau cochon encore bien gras, et le pauvre animal protestait à sa manière contre les intentions très claires de sa maîtresse. Aussitôt les enfants 20 coururent par les rues criant:

— La vieille Jeannette est en train de [6] tuer un porc gras!

Tout le monde se précipita vers la pauvre maison et on arriva à temps pour voir expirer le malheureux 25 cochon. On s'empara de l'animal et il fut porté au conseil de la ville pour le partager entre tous les habitants de Carcassonne. Tandis que les conseilleurs délibéraient sur la meilleure manière de dé-

---

[1] ***la faim se faisait de plus en plus sentir,*** hunger made itself more and more felt
[2] (*ils*) ***n'étaient plus qu'un souvenir,*** (they) were only a memory
[3] ***chez les enfants,*** (*here*) in children
[4] ***en d'autres temps,*** at other times
[5] ***armée de,*** armed with
[6] ***en train de,*** in the act of

couper l'animal afin que chacun en eût [1] une petite part, un des guetteurs arriva en courant: [2]

— Les troupes ennemies semblent se préparer à un nouvel assaut: ils sortent [3] leurs échelles, graissent leurs catapultes et leurs béliers. 5

— Sans doute, répondit le chef de la ville, pensent-ils que nous sommes à demi-morts de faim [4] et que nous ne serons pas capables de nous défendre. En effet, même après la petite ration que nous aurons distribuée de cette viande fraîche, nos hommes 10 n'auront guère la force de résister.

Une jeune femme s'avança:

— Certes, dit-elle, mes petits enfants ont très faim.[5] Mais je propose que nous fassions un sacrifice de plus.[6] Laissons toute la viande de ce cochon à nos 15 défenseurs pour qu'ils aient [7] la force de repousser cette attaque, et bientôt les souterrains seront terminés et nous pourrons nous enfuir.

Cette proposition fut reçue avec enthousiasme par quelques-uns, mais beaucoup se taisaient mécontents. 20

Le chef, après un long silence, s'adressa à la jeune femme:

— Alliette, vos paroles sont nobles et viennent d'un grand cœur. Aussi, avec l'aide de Dieu m'ont-elles inspiré une grande décision. Que nous faut-il? [8] 25 Gagner du temps! La meilleure manière est de décourager nos assaillants en leur faisant croire [9] que

---

[1] ***que chacun en eût,*** so that everyone might have of it
[2] ***(il) arriva en courant,*** (he) arrived at full speed
[3] ***ils sortent,*** (*here*) they are getting out
[4] ***à demi-morts de faim,*** half-starved
[5] ***(ils) ont très faim,*** (they) are very hungry
[6] ***un sacrifice de plus,*** one more sacrifice
[7] ***pour qu'ils aient,*** so that they may have
[8] ***Que nous faut-il?*** What do we need?
[9] ***en leur faisant croire,*** by making them believe

nos saloirs et nos greniers sont encore bien remplis. Je propose et j'ordonne qu'on jette ce cochon par-dessus les remparts, aux pieds de l'ennemi.

Le chef avait parlé, personne ne répondit, mais la 5 consternation était dans tous les cœurs. En silence, murmurant [1] entre eux, ils suivirent les deux soldats qui portaient la bête. Navrés et muets, ils les regardèrent jeter leur cochon aux pieds des soldats du roi.

10 Ceux-ci le portèrent devant Simon de Montfort:

— Sire capitaine, dirent-ils, voici ce que les gens de Carcassonne jettent du haut de leurs tours,[2] comme du rebut.[3]

— Vraiment, dit Simon, me serais-je trompé dans 15 mes prévisions, et ces Carcassonnais auraient-ils tant de porcs dans leurs cours qu'ils peuvent se permettre de nous narguer en les jetant par-dessus leurs murailles. Prenons patience et attendons davantage: un jour viendra où ils seront affamés et forcés de se 20 rendre. Et, se tournant vers ses soldats:

— Rentrez vos armes et partagez-vous ce pourceau. L'assaut est remis à [4] plus tard.

A la vue de l'armée royale rangeant ses arcs et ses béliers et dépeçant le cochon, les Carcassonnais 25 sentirent leur cœur se remplir d'espoir et de rage. Ils se précipitèrent vers les souterrains, et, malgré leur faiblesse, ils travaillèrent sans arrêt. Vers la fin du troisième jour, ils estimèrent, d'après [5] la longueur du passage, qu'ils devaient avoir bien

---

[1] ***murmurant,*** grumbling
[2] ***du haut de leurs tours,*** from the top of their towers
[3] ***comme du rebut,*** as if it were garbage
[4] ***est remis à,*** is postponed until
[5] ***d'après,*** according to

dépassé les lignes de Simon de Montfort. Avec précaution ils firent au-dessus de leur tête une ouverture pour surveiller la campagne. Elle était vide de soldats, et, comme ils connaissaient le pays, ils reconnurent qu'ils étaient bien en avant vers la liberté. 5

Alors tout le peuple fut rassemblé dans le plus grand silence: on organisa le cortège. D'abord un des lieutenants avec une troupe de soldats, puis les femmes et les enfants, et, en tête de [1] ceux-ci, la brave Alliette avec ses petits et la vieille Jeannette; 10 puis les hommes, et enfin, protégeant la retraite, le chef, avec le reste des soldats. Pendant toute la nuit le cortège suivit le souterrain,[2] puis ils s'échappèrent dans la campagne.

Ce matin-là, surpris par l'absence de toute activité 15 sur les remparts de Carcassonne, Simon de Montfort envoya deux de ses braves pour essayer de voir ce qui s'y passait.[3] Les hommes furent étonnés de pouvoir approcher des fossés sans recevoir de flèches; enhardis, ils traversèrent le fossé à la nage,[4] et, grimpant 20 sur l'échelle qu'on leur avait tendue, hasardèrent un coup d'œil [5] à l'intérieur. Bientôt ils revinrent au camp:

— Personne ne bouge, dirent-ils, ils doivent être tous plus ou moins expirants.[6] 25

— En avant, à l'assaut, s'écria Simon de Montfort, et n'épargnez rien, ni femmes, ni enfants!

---

[1] ***en tête de,*** at the head of

[2] ***le cortège suivit le souterrain,*** (*here*) the procession passed through the tunnel

[3] ***ce qui s'y passait,*** what was going on there

[4] ***ils traversèrent le fossé à la nage,*** they swam across the moat

[5] ***un coup d'œil,*** a glance

[6] ***ils doivent être tous plus ou moins expirants,*** they all must be more or less on the point of death

Épée au poing,[1] il se mit [2] à la tête des soldats; par des échelles appliquées aux murailles, l'armée entra dans la ville.

Carcassonne était vide.

---

[1] *épée au poing,* his sword in his hand
[2] *il se mit,* he placed himself

# *Jeanne D'Arc à Chinon*

(14me siècle)

Jeanne montait la ruelle qui conduisait au château. Celui-ci, situé au sommet de la colline, dominait la douce plaine de la Touraine. Elle ne pensait plus aux longues semaines de chevauchée si pénible au milieu des populations hostiles qui se moquaient d'elle et de sa mission. Elle se disait :

— Je verrai dans quelques minutes le roi de France ; je lui dirai que je viens l'aider à chasser ces Anglais qui détruisent nos moissons et pillent nos maisons ; avec l'aide de Dieu, du roi et de mon courage nous sauverons la France.

Dans une grande salle du château un jeune homme maigre, au long nez [1] dans une face étroite, intelligente et faible disait aux seigneurs debout autour de lui :

— Pourquoi avez-vous insisté pour que je reçoive cette paysanne lorraine ? Tous les jours nous ren-

[1] *au long nez,* with a long nose

voyons des fous et des visionnaires qui s'imaginent que Dieu leur a donné mission de sauver mon royaume. J'ai assez de souci à voir s'écrouler la France, morceau par morceau, sans avoir à écouter
5 les divagations de ces déments.

— Sire, répondit un de ses compagnons, la fille n'a point l'air folle.[1] C'est une simple paysanne et l'on dit que ses réponses sont pleines de bon sens. Elle a fait un long chemin [2] pour venir jusqu'à vous,
10 et j'aurais peine à [3] la renvoyer.

— Fort bien,[4] Sire Xaintrailles, si vous avez tant de peine à la renvoyer, recevez-la vous-même, et si vraiment elle apporte le remède à nos grands malheurs, vous me le direz, et je verrai si je puis l'écouter.
15 — Sire, elle ne veut parler qu'au [5] roi de France.

— Eh bien, répondit Charles VII avec impatience, elle ne me parlera pas. Voici mon manteau, ma toque et mon pourpoint, Sire Xaintrailles. Prenez-les et donnez-moi les vôtres en échange. Pour cette
20 fille de Lorraine vous serez le roi de France pendant une heure, et Dieu m'est témoin que je vous céderais volontiers pour la vie cet honneur et ce fardeau!

Les jeunes seigneurs se mirent à rire.[6] L'idée était amusante. Ce royaume de France fondait tous les
25 jours comme neige au soleil dans les mains des Anglais, et ce qu'il restait pouvait bien être jeté de l'un à l'autre comme une balle.

Cependant Jeanne était arrivée devant le pont-levis. A la sentinelle qui l'arrêta, elle répondit:

---

[1] (*elle*) *n'a point l'air folle,* she does not seem at all crazy
[2] *elle a fait un long chemin,* she came a long distance
[3] *j'aurais peine à,* I should be loath to
[4] *fort bien,* very well
[5] *elle ne veut parler qu'au,* she wishes to speak only to
[6] (*ils*) *se mirent à rire,* (they) began to laugh

— Le roi Charles m'attend.

Le soldat envoya un messager dans le château, et celui-ci revint disant que Jeanne d'Arc était attendue en effet.

La jeune fille entra, suivie par le regard curieux et amusé des soldats, qui s'étonnaient de voir une simple paysanne en costume de cavalier admise à voir le roi.

Elle monta une rampe qui la conduisit à une salle pleine de soldats.

— Je suis venue, dit-elle, pour voir mon seigneur, le roi de France.

— Entrez donc. Les soldats riaient et se poussaient du coude,[1] car tout le monde connaissait le déguisement du roi. Jeanne pénétra dans la grande salle.

Sur le seuil elle s'arrêta et contempla le spectacle qui s'offrait à ses yeux. Sous les hautes voûtes, des tapisseries rouges et bleues étaient accrochées pour tempérer le froid des murailles de pierre. Le jour tombait déjà,[2] et peu de lumière entrait par les fenêtres étroites ouvertes dans l'épaisseur des murs. Dans une demi-obscurité une vingtaine de personnes,[3] seigneurs vêtus de[4] soies et de fourrures, dames aux longues robes brochées,[5] entouraient un fauteuil de chêne peint de[6] couleurs vives où un beau jeune homme, revêtu du manteau royal fleurdelisé,[7] était assis.

---

1 *(ils) se poussaient du coude,* (they) nudged one another
2 *le jour tombait déjà,* dusk was already falling
3 *une vingtaine de personnes,* some twenty persons
4 *vêtus de,* dressed in
5 *dames aux longues robes brochées,* ladies (dressed) in long brocade gowns
6 *peint de,* painted with
7 *fleurdelisé,* adorned with fleur-de-lis

— Approchez, Jeanne, dit le jeune homme, et parlez!

Jeanne ne bougea pas: elle le regarda sans mot dire, puis ses yeux parcoururent les groupes qui l'entouraient. Au bout d'[1]un instant elle fit quelques pas en avant et marcha vers un de ces groupes, retiré dans l'ombre d'un pilier. Elle écarta quelques seigneurs et quelques dames, et, devant un jeune homme maigre, au visage intelligent et faible,[2] vêtu d'un simple manteau, elle tomba à genoux: [3]

— Sire, dit-elle, Dieu m'envoie pour vous aider à sauver la France.

— Vous vous trompez, je ne suis pas le roi. Le voici,[4] assis sur ce trône.

— Sire, Dieu qui m'éclaire a dit à mon cœur que vous êtes mon roi. Laissez-moi vous parler et vous dire ce que vous et moi seulement savons: le secret que vous seul connaissez et que Sainte Catherine et Saint Michel m'ont révélé dans une apparition miraculeuse! Écartez ces compagnons qui vous entourent et je vous rendrai d'un mot [5] le courage et la foi.

— Prenez garde![6] Sire, dit un des seigneurs, la fille a peut-être de mauvais desseins, et seule avec vous chercherait à [7] vous poignarder; peut-être elle est une émissaire des Anglais.

Le roi hésitait. Il regarda Jeanne toujours à genoux: [8]

---

[1] ***au bout de,*** after
[2] ***au visage intelligent et faible,*** with an intelligent and weak face
[3] ***elle tomba à genoux,*** she fell on her knees
[4] ***le voici,*** here he is
[5] ***d'un mot,*** with one word
[6] ***prenez garde!*** be careful!
[7] (***elle***) ***chercherait à,*** (she) might try to
[8] ***toujours à genoux,*** still on her knees

— Elle m'a reconnu sous ces vêtements, dit-il, et pourtant elle ne m'avait jamais vu. Retirez-vous au bout de la salle,[1] et surveillez ses gestes. Elle pourra me parler et vous ne pourrez pas entendre.

Bientôt ils furent seuls dans l'ombre du pilier, le roi triste et souffreteux, et la robuste paysanne toujours à genoux. Elle leva la tête et dit au roi quelques mots à voix basse.[2]

Soudain on vit le roi se redresser, transfiguré; ses yeux brillaient, son visage rayonnait. Il releva la jeune fille et appela:

Xaintrailles, La Hire, Dunois, rassemblez vos hommes, formez une troupe, escortez Jeanne la Pucelle, qui nous vient envoyée par Dieu. Par ma couronne, avec son aide, nous sauverons la France!

* * *

On n'a jamais su quel était le secret que Jeanne d'Arc révéla à Chinon au roi Charles VII.

---

[1] ***au bout de la salle,*** (*here*) to the end of the hall
[2] ***à voix basse,*** in a low voice

# La Reine

(17me siècle)

On parle toujours de Louis XIV, de la splendeur de son règne, de la beauté des œuvres d'art qu'il a commandées aux artistes, de sa générosité pour les écrivains, de son ambition comme souverain absolu 5 de la France. Personne ne pense jamais à celle qui a été pendant vingt-deux ans la reine de ce monarque surnommé le Roi-Soleil.

Elle s'appelait Marie-Thérèse; c'était une des filles du roi d'Espagne, Philippe IV. Comme tous 10 les mariages entre princes royaux, le sien avait été arrangé par des diplomates. On lui fit quitter [1] pour toujours l'Espagne pour la conduire à la frontière française; c'est là, dans une île au milieu de la rivière Bidassoa, qui marque la limite entre les deux 15 pays, qu'elle rencontra pour la première fois le roi de France. Ils furent mariés le lendemain.

---

[1] *on lui fit quitter,* they made her leave

Elle était petite, chétive, laide et peu intelligente. Elle admirait et craignait un peu ce mari qu'on lui avait imposé: si élégant, si brillant, si sûr de lui-même. Mais elle ne fut jamais heureuse auprès de lui. La France fut toujours pour elle un lieu d'exil; 5
elle regrettait [1] l'Espagne où elle avait été élevée. Elle ne se plaisait qu'avec [2] les servantes et les dames d'honneur espagnoles qui étaient venues en France avec elle. Elle n'apprit jamais à bien parler le français. Aussi [3] se sentait-elle étrangère dans les bril- 10
lantes réceptions de Versailles.

Louis XIV n'avait pas d'amour pour elle,[4] mais il lui témoigna toute sa vie de l'affection et du respect. Tous les soirs il allait passer un moment auprès d'elle. Il ne pouvait lui parler ni des affaires de l'État, ni 15
d'art ou de littérature; elle n'y comprenait rien. Mais il s'informait aimablement de sa santé, jouait aux cartes [5] avec elle, et quelquefois acceptait une tasse d'un breuvage inconnu en France qu'elle avait apporté d'Espagne. 20

C'était un liquide brun rougeâtre, assez [6] épais; on l'obtenait en faisant fondre [7] dans de l'eau bouillante ou du lait chaud une pâte dure faite avec du sucre et les amandes grillées et broyées d'un arbre exotique qui poussait dans les colonies espagnoles des 25
Antilles et de l'Amérique Centrale. Cet arbre est le cacaoyer et le produit qu'on en retire est le chocolat. C'est la reine Marie-Thérèse d'Espagne qui a intro-

---

[1] ***elle regrettait,*** she missed
[2] ***elle ne se plaisait qu'avec,*** she enjoyed herself only with
[3] ***aussi,*** (*here*) therefore
[4] (***il***) ***n'avait pas d'amour pour elle,*** (he) was not in love with her
[5] (***il***) ***jouait aux cartes,*** (he) played cards
[6] ***assez,*** (*here*) rather
[7] ***en faisant fondre,*** by letting dissolve

duit en France l'usage du chocolat. Sa femme de chambre le recevait d'abord d'Espagne, et plus tard de Bayonne où l'on fabrique encore d'excellent chocolat aujourd'hui. Les courtisans de l'entourage
5 de Louis XIV acceptaient ces tasses de chocolat de la reine pour plaire au roi, mais beaucoup d'entre eux ne l'aimaient guère. Madame de Sévigné, qui est célèbre par les lettres qu'elle écrivait à sa fille, déclarait que « c'est une mode qui passera. »

10 Lorsque Marie-Thérèse mourut à l'âge de quarante-cinq ans, le roi déclara:

— Voilà le premier chagrin qu'elle m'a causé.

Mais il l'oublia vite. Et l'histoire semble avoir également oublié une personne aussi [1] insignifiante.
15 Nous devons cependant donner une pensée à cette reine si bonne et si triste, qui n'a jamais fait de peine [2] à personne, et qui nous a laissé le chocolat.

---

[1] ***aussi,*** (*here*) so
[2] ***qui n'a jamais fait de peine,*** who never caused pain

# André Le Nôtre

(17$^{me}$ siècle)

Lorsque Louis XIV fit bâtir[1] le château de Versailles il choisit pour en dessiner les jardins un homme déjà connu pour ce genre de travaux et dont le nom restera aussi célèbre que celui du roi: André Le Nôtre. Avant le parc de Versailles, Le Nôtre avait dessiné des jardins dans toute la France et même à l'étranger.[2] Mais il était resté simple et naïf comme en témoignent les deux anecdotes suivantes:

Se trouvant en Italie, il fut reçu par le pape qui admirait beaucoup les jardins qu'il avait créés. Lorsque Le Nôtre se vit en face du[3] pape, il s'avança, le prit dans ses bras, l'embrassa[4] sur les deux joues et le secoua cordialement en disant:

1 (*il*) ***fit bâtir,*** (he) ordered to be built
2 ***à l'étranger,*** in foreign countries
3 ***en face du,*** opposite the
4 ***embrassa,*** kissed

— Ah! Saint Père, que [1] je suis charmé de vous voir si bonne mine! [2]

Plus tard, lorsqu'il consacra toute sa carrière à faire du parc de Versailles le chef-d'œuvre qu'on admire encore, il communiquait au roi toutes les idées nouvelles qui lui venaient en tête pour l'embellissement des jardins. Souvent le roi enthousiasmé lui disait:

Le Nôtre

— Le Nôtre, c'est admirable, je vous donne dix mille francs.

Et un peu plus tard:

— Quelle idée merveilleuse! Je vous donne trente mille francs.

— Eh! s'écriait Le Nôtre, prenez garde,[3] Sire, votre Majesté va se ruiner!

Un jour, il parcourait les allées du parc, assis dans le carrosse du roi avec l'architecte du château, Mansart. Tout à coup, il dit au roi, des larmes dans les yeux:

— Ah! Sire! je voudrais que mon vieux père ait

[1] ***que,*** (*here*) how
[2] ***de vous voir si bonne mine,*** to see you look so well
[3] ***prenez garde,*** watch out

vécu [1] assez longtemps pour me voir en ce moment. Que dirait-il en voyant le plus grand roi du monde admettre dans sa voiture son maître-maçon et son jardinier ?

---

[1] ***que mon vieux père ait vécu,*** that my old father might have lived

# Perruque! Perruque!

(17me siècle)

Cette histoire gaie commence tristement.

C'était à la cour du roi Louis XIV, vers la fin du siècle. Le roi vieilli, fatigué, était assis dans un grand fauteuil. Autour de lui se tenaient debout, 5 rangés suivant leur importance, son fils, le Grand Dauphin, son petit-fils, le duc de Bourgogne, ses neveux, cousins; puis quinze à vingt seigneurs, ducs, comtes, marquis et simples chevaliers. En face du roi [1] était Madame de Maintenon. Tout le monde 10 regardait avec inquiétude et anxiété le médecin du roi, Monsieur Fagon, qui tenait avec respect le pouls royal et en comptait les battements.

Enfin Monsieur Fagon cessa de compter et dit:

— Le pouls de sa Majesté est excellent; sa langue 15 est parfaite. Sa Majesté n'est pas malade, mais elle s'ennuie.

---

[1] *en face du roi,* opposite the king

— Mais alors, Monsieur, demanda Madame de Maintenon, que prescrivez-vous ?

— De la distraction, Madame. Sa Majesté a des pensées tristes et des préoccupations. Il faudrait l'amuser.[1] 5

— Très bien, Fagon, dit le roi. Allez chez[2] mon trésorier vous faire payer[3] votre consultation. Dites-lui de vous donner un sac de pièces d'argent.

Fagon sortit en remerciant le roi. Tout le monde restait silencieux. Le duc de Bourgogne suggéra: 10

— Voulez-vous faire une promenade,[4] Sire ?

— Une promenade, s'écria Madame de Maintenon, il pleut! Le roi attraperait un rhume!

— Il pleut ? dit le roi et il se leva pour aller regarder le temps[5] par la fenêtre. 15

Il pleuvait: les pavés de la cour du palais luisaient sous la pluie. Le roi regarda tristement; il avait de lourds soucis, ses armées n'étaient plus victorieuses, l'argent qu'il avait dépensé pour le luxe de Versailles avait épuisé le trésor; il vieillissait. 20

Il fut surpris d'entendre une petite musique grêle monter de la cour. En regardant, il vit, abrité sous une des portes, un joueur d'orgue italien, qui amusait un groupe de domestiques avec un petit singe qui dansait, costumé en grand seigneur.[6] Il se retourna 25 vers un des gentilhommes de la chambre et ordonna:

— Faites monter[7] ce joueur d'orgue!

— Quelle imprudence, Sire, s'écria Madame de

---

[1] ***Il faudrait l'amuser.*** (*here*) He ought to be amused.
[2] ***chez,*** (*here*) to (the office of)
[3] ***vous faire payer,*** to get paid for
[4] ***faire une promenade,*** to take a walk (ride)
[5] ***le temps,*** (*here*) the weather
[6] ***costumé en grand seigneur,*** dressed like a nobleman
[7] ***faites monter,*** fetch

Versailles, vue de la Cour d'Honneur

Maintenon, qui vivait dans la peur de toutes les maladies. Cet homme malpropre et cet affreux singe!

— Fagon me dit de me distraire. Je veux tout essayer.

Il fallut obéir.[1] Bientôt l'Italien et son singe entraient dans le salon royal.

L'homme commença à tourner la manivelle de son instrument et dit à son singe d'ôter son chapeau et de faire la révérence. Le singe, affolé par la présence de tant de personnes dans cette atmosphère nouvelle, obéissait mal. Le roi s'ennuyait et dit:

— Faites-les sortir![2]

L'Italien voulut déshabiller son singe, mais celui-ci lui échappa et laissa tomber la petite perruque qu'il portait. Aussitôt il se précipita sur le roi, lui arracha

[1] ***Il fallut obéir.*** (*here*) They had to obey.
[2] ***Faites-les sortir!*** Send them away!

sa perruque et sauta d'un bond [1] sur la plus haute corniche du plafond.

Le spectacle était consternant. Sans sa majestueuse perruque aux [2] boucles grises, le roi apparaissait comme un petit vieillard chauve aux [2] joues tombantes.[3] Personne n'osait le regarder. Tout à coup [4] il éternua, et se tournant vers le Grand Dauphin, il commanda:

— Mon fils, donnez-moi votre perruque!

Le Dauphin enleva de sa tête le monument de boucles noires qui la recouvrait et le passa à son père. Aussitôt le roi, rajeuni de dix ans,[5] reprit toute sa majesté. Mais le Dauphin, lourd et gras, n'était pas beau avec sa tête rasée. De plus [6] il prenait froid: ces grandes salles de Versailles étaient mal chauffées. Il se tourna donc vers le duc de Bourgogne et dit:

— Mon fils, donnez-moi votre perruque!

La perruque du duc de Bourgogne était châtain clair et plus légère que celle de son père. Il la lui tendit docilement, et pendant que le Dauphin devenait blond, il exposa son jeune crâne rasé aux courants d'air. Son plus proche voisin était le duc d'Orléans.

— Mon cousin, dit-il, donnez-moi votre perruque!

Privé de sa belle perruque brune, le duc d'Orléans emprunta aussitôt celle du duc de Condé, prince du sang également,[7] mais qui était d'un rang inférieur

---

[1] ***d'un bond,*** with one leap
[2] ***aux,*** (*here*) with
[3] ***tombantes,*** (*here*) sagging
[4] ***tout à coup,*** suddenly
[5] ***rajeuni de dix ans,*** (*here*) looking ten years younger
[6] ***de plus,*** moreover
[7] ***prince du sang également,*** also a prince of the (royal) blood

au sien. Le duc de Condé s'empara de celle du duc de Dangeau, gentilhomme de la chambre. Dangeau réquisitionna celle du gentilhomme sous ses ordres. Celui-ci prit la perruque d'un moindre comte; le comte prit celle d'un marquis, le marquis celle d'un baron, le baron celle d'un chevalier, et ainsi de suite [1] jusqu'à ce que la dernière tête nue fut celle d'un pauvre petit seigneur sans importance qui se tenait près de la porte et éternuait tant qu'il pouvait.

Louis XIV, par Rigaud

Pendant ce temps, le singe, perché sur sa corniche poussait des cris aigus; l'Italien éperdu s'arrachait ses cheveux, qui tenaient bien pourtant sur sa tête; Madame de Maintenon se bouchait les oreilles en criant:

— Faites-les sortir!

Mais le roi, sous sa perruque noire, commençait à s'amuser vraiment devant cette cascade de perruques.

A ce moment, la porte s'ouvrit, et le docteur Fagon rentra, portant le gros sac plein d'écus d'argent que

---

[1] *et ainsi de suite,* and so on

le trésorier venait de lui donner.[1] Le petit seigneur qui le vit le premier[2] sauta sur ce bourgeois, qui était son inférieur, et voulut lui arracher sa perruque. Fagon ne comprit pas ce qui lui arrivait,[3] crut qu'on voulait lui prendre son argent, se défendit, et tout à coup le sac tomba par terre,[4] s'ouvrit, et les écus roulèrent de tous côtés.[5] 5

Fagon se jeta par terre pour les ramasser, mais la vue de tout cet argent fut une trop grande tentation pour ces grands seigneurs, qui n'en avaient jamais 10 assez pour leur luxe; tous, comtes et ducs, marquis et princes, se mirent à quatre pattes[6] et essayèrent d'attraper les pièces qui roulaient sur les tapis et sous les meubles. Voyant cela, le singe sauta de son perchoir, lâcha la perruque du roi, courut aussi après les 15 pièces brillantes. Ce fut un beau spectacle: toute la noblesse de France, coiffée de perruques de travers,[7] et qui ne tenaient pas sur leurs têtes, accroupie, à plat ventre,[8] comme des gamins à qui l'on jette des sous; le singe sautant de l'un à l'autre; 20 l'Italien courant après lui; Madame de Maintenon réfugiée dans une embrasure de fenêtre et criant encore plus fort que les autres. Enfin elle put ramasser la perruque du roi et la lui tendit. Mais elle s'arrêta stupéfaite devant ce qu'elle vit. 25

Assis dans son fauteuil, la perruque du Dauphin de travers sur ses oreilles, le roi, plié en deux,[9] riait

[1] ***que le trésorier venait de lui donner,*** which the treasurer had just given him
[2] ***le vit le premier,*** saw him first
[3] ***ce qui lui arrivait,*** what was happening to him
[4] ***tomba par terre,*** fell to the floor
[5] ***de tous côtés,*** in all directions
[6] ***(ils) se mirent à quatre pattes,*** (they) got down on all fours
[7] ***de travers,*** askew [8] ***à plat ventre,*** flat on their stomachs
[9] ***plié en deux,*** doubled up

de [1] tout son cœur. Il riait si fort qu'il en perdait le souffle et que les larmes roulaient sur ses joues.

Pendant ce temps, l'Italien avait rattrapé son singe; le duc de Dangeau essayait de rétablir l'ordre; 5 on donnait des explications à Fagon; les perruques revenaient sur la tête de leurs propriétaires; l'Italien était renvoyé, les poches pleines d'écus d'argent. Et le médecin se tourna triomphalement vers Madame de Maintenon:

10 — Que vous disais-je, Madame? Le roi n'avait besoin que d'[2]être amusé: le roi est guéri.

— Vous avez raison,[3] Fagon, dit le roi ajustant sa perruque grise et essuyant les dernières larmes de gaîté sur ses joues. Laissez ces écus par terre et allez 15 chez [4] mon trésorier chercher quatre sacs de pièces d'argent.

---

[1] ***de,*** (*here*) with
[2] ***n'avait besoin que d',*** only needed to
[3] ***vous avez raison,*** you are right
[4] ***chez,*** (*here*) to (the office of)

# Louis XV et la Pomme de Terre

(18$^{me}$ siècle)

Le roi Louis XV a laissé dans l'histoire une mauvaise réputation. Il la méritait; ce fut un mauvais roi, léger, insouciant, et complètement dépourvu de sens moral. Cependant, il faut être juste: s'il avait des vices, il avait aussi quelques qualités. On ne 5 sait pas toujours que ce mauvais souverain était un cuisinier de premier ordre. Il avait dans ses appartements de Versailles une petite cuisine et c'est là qu'il confectionnait d'excellents bonbons et des confitures, qu'il distribuait aux dames de la cour qui lui plai- 10 saient particulièrement. Il a inventé des plats nouveaux et des sauces et fut imité par beaucoup de seigneurs de sa cour dont les noms sont restés célèbres en cuisine.[1] C'est ainsi que nous nous ré-

[1] *en cuisine,* in the art of cooking

galons aujourd'hui d'une purée et d'une sauce Soubise, ce qui nous permet de retenir agréablement le nom d'un maréchal qui, sans cela, ne nous serait connu que pour [1] avoir été magnifiquement battu
5 par les Prussiens au cours d'une bataille où il avait perdu son armée.

Pour en revenir à Louis XV, son goût pour la cuisine se doublait d'un grand intérêt pour le jardinage. Il a fait faire [2] de grands progrès à [3] la
10 culture de certaines fleurs, comme la reine-marguerite, et de certains fruits comme la fraise. C'est dans ses plates-bandes, à Trianon, que l'on a obtenu les premières fraises à gros fruits,[4] et on peut encore aujourd'hui, dans les jardins de Grand Trianon,
15 cueillir en juin des fraises sauvages, descendantes des produits de luxe [5] du dix-huitième siècle et revenues à leurs humbles origines.

C'est grâce à lui aussi que la pomme de terre a pris la place importante qu'elle tient dans la vie moderne.
20 Les Espagnols avaient découvert la pomme de terre dans l'Amérique du Sud, dont elle est originaire, dès le seizième siècle, et, déjà vers le milieu du dix-septième siècle, on la cultivait pour l'alimentation dans quelques champs en Espagne, en Angleterre et
25 en France. Mais ces essais étaient accueillis avec méfiance. La pomme de terre est cousine d'espèces empoisonnées comme la belladonne, la douce-amère, et leurs fleurs se ressemblent. Aussi une rumeur publique courut que ces tubercules étaient dangereux.
30 Louis XV, qui aimait acclimater des aliments

---

[1] ***qui . . . ne nous serait connu que pour,*** who . . . would not be known to us except for [2] ***il a fait faire,*** he caused [3] ***à,*** (*here*) in

[4] ***les premières fraises à gros fruits,*** the first large-sized strawberries

[5] ***produits de luxe,*** fancy products

exotiques en France, prit la pomme de terre sous sa protection. Il chargea un ingénieur agronome, Parmentier, de planter de grands champs de ce nouveau produit; puis il parut à la cour, portant à la boutonnière de son habit un bouquet de leurs fleurs, ce qui attira l'attention. Enfin, il trouva un stratagème: il fit entourer les champs [1] par un cordon de soldats armés. Et lorsque les curieux demandaient la raison de cette garde, les soldats avaient l'ordre de répondre qu'ils protégeaient le champ contre les maraudeurs, parce que ces tubercules étaient si rares et si délicieux qu'on les réservait exclusivement pour le roi. Alors tout le monde voulut goûter cette nourriture défendue et on vola autant de pommes de terre que l'on put, sous l'œil indulgent des gardes.

Louis XV, par La Tour

Nous devons donc la pomme de terre à Louis XV, ce que l'on sait peu, et à Parmentier, ce que l'on sait mieux. C'est pourquoi, lorsque dans un restaurant français vous voyez sur le menu: Potage Parmentier, dites-vous que c'est tout simplement une soupe aux pommes de terre.[2]

---

[1] ***il fit entourer les champs,*** he ordered the fields to be surrounded
[2] ***une soupe aux pommes de terre,*** a potato soup

# Le Peintre La Tour

(18me siècle)

Pour bien comprendre cette histoire il faut savoir [1] qu'au dix-huitième siècle le prestige de la royauté était encore très grand, et qu'on approchait le souverain avec beaucoup de crainte et de déférence. Cependant les intellectuels et les artistes commençaient à montrer de l'indépendance et à juger que leur intelligence et leur talent les rendaient égaux aux rois.

La Tour était un des plus grands peintres de la France. Il ne peignait qu'au [2] pastel parce qu'il trouvait que cette manière délicate et fragile était la seule capable de bien rendre la finesse de l'épiderme humain, la légèreté des dentelles, le chatoiement des soies, la douceur profonde des velours. Mais il allait toujours au-delà de ces qualités superficielles. Les portraits qu'il nous a laissés sont parmi les études les plus intenses, les plus pénétrantes de l'âme humaine.

[1] ***il faut savoir,*** one must know
[2] ***il ne peignait qu'au,*** he painted only in

Il était très grand artiste: il le savait. Il était aussi très orgueilleux, avec un caractère autoritaire et agressif. Un jour on vint lui demander, de la part de [1] la marquise de Pompadour de venir à Versailles peindre son portrait. La marquise était, après le roi, la personne la plus importante du royaume. La Tour répondit:

— Vous direz à Madame la Marquise que je ne vais pas peindre en ville.[2]

— Mais, Monsieur La Tour, la marquise de Pompadour! Vous ne pouvez pas la faire venir [3] à Paris!

Après bien des [4] discussions, La Tour décida qu'il irait à Versailles, mais pour un prix exorbitant, trois fois plus élevé [5] que celui qu'il avait l'habitude de demander pour ses portraits. Nouvelles discussions; finalement, il consentit à en accepter la moitié. Mais il n'était pas au bout de [6] ses exigences.

— Vous direz à Madame la Marquise que je viendrai quand cela me plaira, que je travaillerai comme je voudrai, et que je ne permettrai à personne d'entrer dans la pièce et de nous déranger pendant que je peindrai.

Madame de Pompadour, qui connaissait les artistes, consentit en riant.[7] Le jour convenu,[8] La Tour arrive à Versailles et est introduit dans les appartements de Madame de Pompadour. Après l'avoir saluée, il se met à son aise.[9] D'abord il ôte

---

[1] ***de la part de,*** on behalf of
[2] ***je ne vais pas peindre en ville,*** (*here*) I am not going to paint in other people's houses
[3] ***la faire venir,*** make her come
[4] ***après bien des,*** after many
[5] ***plus élevé,*** higher
[6] ***au bout de,*** at the end of [7] ***en riant,*** laughingly
[8] ***le jour convenu,*** on the day agreed upon
[9] ***il se met à son aise,*** he makes himself comfortable

son habit et le jette sur une chaise; puis son gilet. Ceci fait, il se déchausse et met [1] des pantoufles. La marquise le regarde, amusée. Il enlève sa cravate, et la drape autour du cou d'un buste de marbre, et
5 enfin, il ôte sa perruque qu'il accroche sur un candélabre de cristal, et noue sur sa tête un mouchoir de couleur; il met ses lunettes et une visière de cuir vert pour protéger ses yeux, et commence son travail.

Pendant quelque temps tout va bien. Madame
10 de Pompadour pose avec toute la bonne grâce et la bonne volonté d'une personne qui sait l'importance d'une œuvre d'art. Le peintre la regarde très attentivement pour ramener l'âme de son modèle à la surface et l'exprimer tout entière. Il choisit ses pastels
15 dans la boîte et jette sur le papier ces traits [2] sûrs et subtils que nous pouvons encore admirer sur cette première étude de Madame de Pompadour. Tout à coup,[3] la petite porte qui conduisait aux appartements du roi s'ouvre et Louis XV entre.

20 Furieux, le peintre s'arrête, et au lieu de [4] s'incliner profondément, se tourne vers Madame de Pompadour:

— Madame, il avait été entendu que je ne serais pas dérangé!

25 — Mais, Monsieur La Tour, c'est le roi!

— Madame, j'avais demandé à rester seul avec vous pendant que je travaillerai. Je reviendrai un autre jour!

Il arrache son mouchoir de tête, plante sa perruque

---

[1] *(il) met,* (*here*) (he) puts on

[2] *(il) jette sur le papier ces traits,* (he) puts on the paper those lines

[3] *tout à coup,* suddenly

[4] *au lieu de,* instead of

de travers,[1] ramasse ses vêtements épars sur la chaise sous le regard du roi qui s'amusait beaucoup. A la fin [2] Louis XV, qui savait être très charmant quand il le voulait, lui dit:

— Monsieur La Tour, il ne faut pas en vouloir à [3] cette pauvre marquise; c'est moi qui ai été indiscret; mais j'ai pour votre talent une admiration si haute que je n'ai pas pu résister à la tentation de regarder comment vous produisez un chef-d'œuvre. Je vous prie de bien vouloir continuer! [4]

Mme de Pompadour, par La Tour

La vanité de l'artiste était chatouillée. Il consentit, mais sans s'excuser d'ailleurs auprès du roi de son accès de mauvaise humeur. Il enleva de nouveau sa perruque, remit mouchoir, lunettes, visière, et recommença son étude des traits de Madame de Pompadour. Le roi, fin et intelligent,

[1] ***(il) plante sa perruque de travers,*** (he) claps on his wig askew
[2] ***à la fin,*** finally
[3] ***il ne faut pas en vouloir à,*** you must not be angry with
[4] ***de bien vouloir continuer,*** to be so good as to continue

se gardait bien de [1] lui faire la moindre observation; mais La Tour n'avait ni les mêmes scrupules ni la même délicatesse; et au bout d'[2]un quart d'heure il expliquait déjà à Louis XV, qui le savait mieux que
5 lui, que les affaires de la France allaient mal,[3] que le royaume était mal gouverné, et que nous courions à l'abîme.[4] Le roi le laissa dire, avec cette tolérance découragée qui était due à sa paresse, et c'est peut-être à l'issue de cette séance de peinture mêlée de
10 politique qu'il dit, en haussant les épaules, le mot célèbre:

— Après moi, le déluge!

---

[1] ***(il) se gardait bien de,*** (he) took good care not to
[2] ***au bout d',*** at the end of
[3] ***les affaires . . . allaient mal,*** the public affairs . . . were in bad shape
[4] ***nous courions à l'abîme,*** we were heading for the abyss

# *Un Rêve de Louis XV*

(18$^{me}$ siècle)

Louis XV se réveille un jour après une mauvaise nuit. Pendant que son valet de chambre l'habille il lui dit:

— J'ai mal dormi cette nuit.

— Votre Majesté souffrait peut-être d'une indigestion. 5

— Cela se peut.[1] Figure-toi que j'ai rêvé de chats.

— Mauvais signe, Votre Majesté! Qui rêve de chats doit s'attendre à [2] des trahisons.

— Un roi n'a pas besoin de rêver de chats pour 10 s'attendre à cela. Mais imagine que ces chats se battaient.

— Il y en avait donc plusieurs?

— Il y en avait quatre. Le premier était maigre, le deuxième était gras, le troisième était borgne, le 15 quatrième était aveugle.

[1] ***Cela se peut.*** That may be. [2] ***s'attendre à,*** to expect

Versailles, vue des terrasses

Le valet reste pensif et habille le roi en silence.

— Eh bien? Tu ne dis rien? Que penses-tu de mon rêve?

— C'est un rêve étrange, Votre Majesté.

5 — Je parie que tu ne saurais pas me l'expliquer comme Joseph expliquait les rêves du Pharaon.

— Si Votre Majesté me le permettait, je pourrais peut-être trouver une explication à ce rêve.

— Allons! [1] parle!

10 — Votre Majesté ne se fâchera pas?

— Non, parle franchement, je te l'ordonne.

— Eh bien, voilà ce que j'imagine. Le chat maigre, c'est le peuple, les pauvres sujets de Votre Majesté.

15 — Bien imaginé! Continue!

— Le chat gras, ce sont les financiers, qui s'engraissent aux dépens du [2] chat maigre.

---

[1] ***allons,*** (*here*) go ahead
[2] ***aux dépens du,*** at the expense of the

— Hé, hé! Pas si mal.[1]

— Le chat borgne, c'est le conseil des ministres de Votre Majesté. Ils n'y voient vraiment que d'un œil.[2]

Le roi rit de bon cœur:[3] 5

— Et le chat aveugle?

— Ah! celui-ci, je ne sais si je puis me permettre...

— Dis ce que tu penses, je te le pardonne à l'avance.

— Le chat aveugle, avec tout le respect que je 10 dois à mon roi, c'est Votre Majesté.

Louis XV resta silencieux pendant un instant. Puis il donna une grande tape cordiale sur l'épaule de son domestique:

— Tu as raison,[4] dit-il, les choses doivent aller bien 15 mal[5] dans un pays où les valets font la leçon à[6] leur maître.

---

[1] ***Hé, hé! Pas si mal.*** Uh, huh! Not so bad.

[2] ***Ils n'y voient vraiment que d'un œil.*** They certainly are blind in one eye.

[3] (***il***) ***rit de bon cœur,*** (he) laughs heartily

[4] ***tu as raison,*** you are right

[5] ***bien mal,*** very badly

[6] ***les valets font la leçon à,*** the valets lecture

# Voltaire à Sans-Souci

(18me siècle)

Tout le monde connaît Voltaire, le grand écrivain français du dix-huitième siècle. Sa renommée a dépassé les limites du temps et les frontières de son pays. Il passait volontiers aussi ces frontières, car
5 ses écrits hardis s'attaquaient souvent à des personnages très puissants, et, à cette époque, la liberté de la presse, qu'il a demandée toute sa vie, n'existait pas en France. Il avait été jeté dans la prison de la Bastille pour l'audace de ses idées, et il avait gardé
10 de cet emprisonnement un souvenir si désagréable qu'il saisissait toutes les occasions de quitter la France et de séjourner à l'étranger.[1] Là, loin du roi Louis XV, il pouvait écrire ce qu'il voulait. Ses pamphlets étaient imprimés en Hollande et il les
15 envoyait par des émissaires secrets en France, où ils étaient distribués, toujours en cachette,[2] par de

[1] ***à l'étranger,*** in foreign countries [2] ***en cachette,*** secretly

nombreux amis et admirateurs. On appelait cela « passer sous le manteau, » parce qu'en général les vendeurs clandestins de ces écrits les cachaient sous leur manteau et les passaient furtivement sous le manteau des acheteurs. 5

Si le roi de France était toujours prêt à mettre Voltaire en prison, d'autres souverains le tenaient en haute estime et l'appelaient leur ami, entre autres le roi de Prusse, Frédéric II. Cela ne veut pas dire [1] que Frédéric aurait permis à un écrivain de son pays 10 les libertés que Voltaire prenait avec le gouvernement et les institutions de la France, mais Voltaire écrivait en français des articles que les bons Prussiens ne pouvaient pas lire, de sorte que [2] Frédéric II pouvait sans danger se vanter d'être un prince phi- 15 losophe, tolérant, et ami des lettres et des arts.

Il invita Voltaire à venir lui rendre visite [3] à Potsdam, où il essayait de vivre dans son château de Sans-Souci, comme Louis XIV à Versailles, et où il voulait aussi s'entourer d'artistes et d'écrivains. 20

Voltaire hésita longtemps à accepter une si flatteuse invitation. Il pensait qu'il était plus sûr de regarder les rois absolus de loin que de les toucher de trop près, et qu'ils peuvent, à l'occasion, être aussi [4] dangereux comme amis que comme ennemis. L'ex- 25 périence devait justifier cette opinion. Néanmoins, un jour qu'il craignait vraiment pour sa sûreté en France, il se décida à entreprendre le voyage et à accepter l'invitation de « son bon ami le roi de Prusse. » 30

---

[1] ***cela ne veut pas dire,*** that does not mean
[2] ***de sorte que,*** therefore
[3] ***lui rendre visite,*** to pay him a visit
[4] ***aussi,*** (*here*) just as

Au début, tout fut parfait. Frédéric, enchanté d'avoir la compagnie d'un homme aussi [1] spirituel, aussi [1] intelligent, aussi [1] amusant que Voltaire, le comblait d'attentions et de gentillesses. Il l'invita 5 à faire des promenades, à venir écouter de la musique, à assister à des réunions littéraires, à dîner au château. Un soir, Voltaire reçut un petit billet de Frédéric, ainsi rédigé:

A $\frac{6}{100}$ [2] à dîner à six heures.

10 Voltaire immédiatement envoya sa réponse:

G a

Et le roi devina: G grand, a petit (j'ai grand appétit).

Mais ces échanges de mots d'esprit amicaux ne 15 consolaient pas Voltaire d'être forcé d'écouter les essais poétiques et musicaux de « son bon ami. » Frédéric jouait de la flûte,[3] ce qui était pardonnable, mais aussi il composait des vers français, ce qui n'était pas pardonnable. Il les lisait à Voltaire, dont 20 il attendait des éloges et des corrections. Et il appréciait les premiers infiniment plus que les secondes. Voltaire devait donc être très diplomate pour ne pas blesser un homme habitué à se voir admirer dans tout ce qu'il faisait. S'il ne signalait aucune faute 25 de français ou de prosodie dans les élucubrations royales, Frédéric, qui était intelligent, se serait dit que ses vers étaient trop mauvais pour être corrigés; si Voltaire signalait des fautes, le roi était reconnais-

---

[1] ***aussi,*** (*here*) as

[2] $\frac{6}{100}$ = ***cent sous six*** = ***Sans-souci*** (*To make his pun Frederick neglected to pronounce the final x of* six.)

[3] ***(il) jouait de la flûte,*** (he) played the flute

sant, mais il était aussi vexé. De sorte que, peu à peu, la cordialité de leurs relations se gâta; plusieurs personnes de l'entourage du roi, jalouses de l'amitié qu'il avait témoignée à Voltaire, profitèrent de ces premiers nuages: Voltaire ne savait pas toujours tenir sa langue, et il y eut des gens zélés pour rapporter à Frédéric quelques plaisanteries sur la personne et les œuvres de Sa Majesté.

Il y eut des explications orageuses, Voltaire, bien entendu, niant être l'auteur de ces remarques peu respectueuses. Mais la bonne harmonie était troublée, et Voltaire commença à penser qu'il y a des prisons en Prusse aussi bien qu'en France. Il prépara donc secrètement son départ, et, un beau jour, quitta ce séjour de Sans-Souci où il n'était plus sans soucis. Mais, comme il était plein de malice, il emporta dans sa malle un cahier des poésies en français de Frédéric II. Lorsque le roi de Prusse apprit la fuite de son protégé, il entra dans une belle colère,[1] qui se changea en fureur au moment où il constata la disparition de son manuscrit. Déjà il imaginait Voltaire, dans un salon parisien, lisant à haute voix[2] ces poèmes, en soulignant toutes les fautes et en imitant l'accent de leur auteur. Un courrier fut envoyé à la poursuite de Voltaire et de sa nièce qui voyageait avec lui.

On les arrêta avant qu'ils aient quitté le territoire allemand. Voltaire eut beau protester,[3] ni lui ni sa nièce ne purent quitter l'auberge où ils étaient descendus. Si on croit Voltaire, qui a raconté cette aventure avec infiniment de verve et d'esprit, lui et sa nièce furent traités sans égards, leurs bagages et

---

[1] ***il entra dans une belle colère,*** he flew into a rage
[2] ***à haute voix,*** aloud
[3] (***il***) ***eut beau protester,*** (he) protested in vain

leurs vêtements fouillés par l'envoyé de Frédéric, qui ne voulait pas leur permettre de continuer leur route avant d'avoir reçu le recueil des: « Poeshies du roi, mon maître. » Enfin les « poeshies » furent 5 trouvées, l'écrivain remis en liberté, et Frédéric ne lui pardonna jamais . . .

Voltaire ne lui pardonna pas davantage.

Rendu prudent par cette aventure auprès d'un des souverains étrangers, Voltaire se dit qu'il n'était en 10 sûreté ni chez lui [1] ni dans les autres royaumes. Aussi [2] se réfugia-t-il dans un domaine placé juste à la limite de la république de Genève. C'est là, dans son château de Ferney, qu'il passa désormais presque toute sa vie, prêt à se sauver en territoire suisse 15 chaque fois que ses écrits, de plus en plus hardis,[3] et qui dénonçaient toutes les fautes et les crimes du gouvernement, le mettaient en danger.

---

[1] ***chez lui,*** (*here*) in his own country
[2] ***aussi,*** (*here*) therefore
[3] ***de plus en plus hardis,*** more and more fearless

# Écrit sur la Poussière

(18me siècle)

On ne lit plus guère [1] à présent les livres de Piron, qui fut au dix-huitième siècle un écrivain très célèbre; mais sa réputation d'homme spirituel a survécu à [2] ses œuvres. On conte de lui, entre autres, le trait suivant.

Piron était connu parmi ses amis comme un vrai bohême, paresseux et désordonné. Un jour, un de ses collègues, passant dans la rue où il habitait, monte pour lui rendre visite.[3] Il trouve la porte de l'appartement ouverte, mais Piron n'est pas là. Le visiteur l'attend quelque temps, assez pour s'apercevoir qu'une couche de poussière épaisse couvre tous les meubles. Enfin, las d'attendre, il décide de s'en aller, mais avant de partir il écrit du doigt [4] dans la

[1] ***on ne lit plus guère,*** one hardly reads any more
[2] ***a survécu à,*** has outlived
[3] ***rendre visite,*** to pay a visit
[4] ***il écrit du doigt,*** he writes with his finger

poussière qui ternit le bureau de l'écrivain le mot: cochon.

Le lendemain, il rencontre Piron dans une réunion.

— Ah! Mon cher Piron, je suis monté chez vous [1]
5 hier mais je n'ai pas eu le plaisir de vous trouver.

Piron lui répond:

— Je l'ai bien regretté aussi, mon cher, lorsque j'ai trouvé votre signature sur ma table à écrire.

---

[1] ***je suis monté chez vous,*** I came up to see you

# Les Saucisses de Napoléon

(18me–19me siècle)

C'était au printemps de 1788. Un très jeune sous-lieutenant d'artillerie, assis dans une pauvre chambre faisait ses comptes.[1] Il venait de toucher sa solde,[2] et il avait faim.[3] Il murmurait: dix livres à ma mère, autant pour l'éducation et les robes de mes sœurs; il fait chaud à Ajaccio, elles n'auront pas besoin de souliers; de quoi payer [4] le collège pour Louis; Joseph devrait bien m'aider. Quant à [5] Jérôme, ma mère peut encore lui tailler des culottes dans [6] les vieux vêtements que mon père a laissés. Voyons, j'ai assez pour payer ma chambre; ma redingote bien brossée peut encore aller jusqu'à l'été; il me reste donc suffisamment pour mes livres et ma nourriture.

---

[1] (*il*) ***faisait ses comptes,*** (he) was figuring out his budget
[2] ***il venait de toucher sa solde,*** he had just drawn his pay
[3] ***il avait faim,*** he was hungry
[4] ***de quoi payer,*** enough to pay
[5] ***quant à,*** as for
[6] ***lui tailler des culottes dans,*** make him a pair of breeches from

Ce mot de nourriture passant par son esprit réveilla aussitôt les exigences de son estomac. Il se leva de sa chaise, brossa son chapeau, et le posa sur sa tête en se regardant dans un morceau de miroir cloué au 5 mur. Il y vit l'image d'un jeune garçon très maigre dont les longs cheveux raides châtain clair encadraient des joues creuses et pâles. Depuis plus d'une semaine, ayant envoyé presque tout ce qui lui restait de sa dernière paie à sa mère — car depuis la 10 mort de son père il était le soutien de toute la famille — il n'avait mangé que du pain [1] rassis parce que c'était moins cher que le pain frais, et il buvait de l'eau à la fontaine. On a faim à dix-neuf ans! Mais aujourd'hui il allait se rattraper. Ses lèvres, qui ne 15 souriaient guère, se détendirent à l'idée du bon menu qu'il allait commander au petit restaurant au coin du quai: Un morceau de rôti bien juteux taillé à l'aloyau [2] qui tournait sur la broche devant la flamme, beaucoup de pain blanc et frais, un ragoût de navets, 20 une nourriture chaude et qui remplit l'estomac. Et qui sait, peut-être un petit cruchon de vin rouge épais qui lui rappellerait les vignobles de Corse.

Il était presque heureux, le sous-lieutenant Napoléon Buonaparte, tandis qu'il descendait l'escalier 25 de l'hôtel.

Au moment où il mettait la main sur le bouton de la porte, l'aubergiste l'appela:

— Une lettre pour vous, Lieutenant.

— Pour moi? Il se tourna surpris car il n'attendait 30 rien.

— Oui, on l'a apportée tout à l'heure.[3]

---

[1] ***il n'avait mangé que du pain,*** he had eaten nothing but bread
[2] ***taillé à l'aloyau,*** cut from the sirloin
[3] ***tout à l'heure,*** just now

Le jeune officier se mit à lire,[1] marchant vers le restaurant:

« Mon cher fils:

Je profite du voyage à Paris d'un de nos voisins pour t'envoyer des nouvelles. Nous nous portons bien.[2] Tes sœurs et Jérôme grandissent. A propos de ce dernier, le curé dit qu'il est temps pour lui de commencer l'étude du latin si tu as toujours [3] l'intention de l'envoyer plus tard au collège. Il consent à lui donner des leçons à [4] un écu par mois, mais je ne puis me permettre ce surcroît de dépenses. Pourrais-tu ajouter trois écus à l'argent que tu dois m'envoyer pour le trimestre prochain? Que Dieu te bénisse.[5] Ta mère,

Laetitia Buonaparte. »

Trois écus! pensa le jeune homme. Quelle brèche dans mon budget déjà si pauvre! Mais il faut que Jérôme entre au collège!

Il était arrivé à la porte du restaurant, des odeurs appétissantes en sortaient; son estomac se tordait; il entra. Devant une grande cheminée où brûlait un feu joyeux, des broches tournaient chargées de [6] viandes. Il s'assit à une table et regarda l'ardoise où les prix étaient écrits. Non, il fallait renoncer au [7] rôti juteux, même au ragoût, tout cela était trop cher pour un sous-lieutenant qui paie les leçons de latin de son petit frère. Il regarda au bas de la liste et lut:

---

[1] ***(il) se mit à lire,*** (he) began to read
[2] ***Nous nous portons bien.*** We are in good health.
[3] ***toujours,*** (*here*) still [4] ***à,*** (*here*) at
[5] ***Que Dieu te bénisse.*** May God bless you.
[6] ***chargées de,*** laden with
[7] ***renoncer à,*** to forego

« Saucisses au vin blanc,[1] cinq sols. »

Il appela la servante et commanda une portion de saucisses et une portion de pain rassis. La fille le regarda manger:

5 — Vous avez l'air de [2] les trouver bonnes, nos saucisses.

— Excellentes, répondit-il.

— Alors, vous en reprendrez bien une autre portion.

10 Il rougit:

— Non, je n'ai plus faim.

— Allons donc, à votre âge! Je vous les apporte, c'est la maison qui vous les offre.

La tentation était trop forte, il accepta, et la brave
15 fille le regardait, souriante, éponger de [3] son pain les dernières gouttes de sauce.

— Ne me remerciez pas, mon officier, vous avez l'air d'un bon jeune homme et c'est plaisir de vous obliger.

* * *

20 Vingt ans plus tard. Dans un salon du palais de Fontainebleau l'empereur Napoléon écoute la conversation de ses invités après un grand dîner. Le prince de Talleyrand, fin gourmet, discute des mérites des perdreaux qu'on leur a servis, mais, se tournant
25 vers l'empereur:

— Votre Majesté doit nous trouver bien frivoles, car elle ne s'intéresse guère aux [4] plaisirs de la table.

— Non, répond l'empereur avec sa brusquerie

---

[1] ***au vin blanc,*** with a white wine sauce
[2] ***vous avez l'air de,*** you seem to
[3] ***éponger de,*** to wipe with
[4] (***Votre Majesté***) ***ne s'intéresse guère aux,*** (Your Majesty) is hardly interested in

habituelle, je mange quand j'ai faim et sans grand plaisir. Pourtant, je me souviens avoir mangé dans ma jeunesse des saucisses au vin blanc. La meilleure chose que j'ai jamais goûtée. Pourquoi ne m'en sert-on jamais?

Napoléon Bonaparte à Arcole

Le grand officier chargé de[1] l'intendance du palais s'avança:

— Sire, je transmettrai votre désir au chef de vos cuisines et dès demain je vous promets pour votre table votre plat favori.

Mais le chef indigné protesta:

— Oser servir à Sa Majesté un plat aussi vulgaire que des saucisses! Oser demander à un artiste cuisinier de descendre à la confection d'une charcuterie si grossière!

Il allait créer pour satisfaire son maître l'empereur un nouveau plat, si raffiné que même Monsieur de Talleyrand s'inclinerait devant sa perfection!

Il se mit à l'œuvre,[2] et le soir même le maître d'hôtel de Napoléon lui présentait sur un plat d'argent d'artistiques petits saucissons faits avec du

[1] *chargé de,* in charge of
[2] *il se mit à l'œuvre,* he set to work

jambon, du poulet, des truffes, des œufs et de la crème. L'empereur y goûta sans y faire attention.[1] Après le dîner, le grand intendant s'approcha de lui[2] et lui demanda comment il avait trouvé les saucisses.

5 — Oh! lui dit l'empereur, ce qu'on m'a servi était insipide! Aucune comparaison avec le plat délicieux dont je me régalais quand j'avais vingt ans![3]

— Je suis désolé, s'écria l'intendant. Le chef de Votre Majesté y avait mis tous ses soins[4] et avait 10 employé les condiments les plus fins!

Et Talleyrand murmura dans sa cravate:

— Oui, mais le condiment essentiel y manquait: la jeunesse.

— Vous avez raison, Monsieur de Talleyrand, dit 15 l'empereur, qui l'avait entendu. Il y manquait un autre condiment, le plus essentiel de tous: la faim.

---

[1] ***sans y faire attention,*** without paying attention to it
[2] ***(il) s'approcha de lui,*** (he) approached him
[3] ***j'avais vingt ans,*** I was twenty years old
[4] ***(il) y avait mis tous ses soins,*** he had put all his skill into them

# Le Roi et la Poire

(18me–19me siècle)

Lorsque Louis-Philippe d'Orléans fut élu en 1830 roi des Français, il avait près de soixante ans.[1] Fatigué et vieilli par des années de pauvreté dans l'exil, son visage n'était pas beau et les caricaturistes de l'époque s'amusèrent à en exagérer les particularités. 5

Il avait des joues lourdes et tombantes élargies au bas par des favoris, un front étroit sur de petits yeux et surmonté par un toupet de cheveux haut et mince. La tentation de la caricature en forme de poire était 10 trop forte, et plus d'un artiste y céda.[2] L'un d'eux fut poursuivi [3] devant les tribunaux pour délit de lèse-majesté. Il se défendit de manière assez originale.[4] Il

---

[1] ***il avait près de soixante ans,*** he was nearly sixty years old
[2] (***il***) ***y céda,*** (he) yielded to it
[3] (***il***) ***fut poursuivi,*** (he) was being prosecuted
[4] ***de manière assez originale,*** in a rather unusual manner

fit d'abord passer devant les jurés un portrait du roi [1] très ressemblant:

— Ceci, Messieurs, ressemble-t-il au roi ? [2]

— Oui, répondirent-ils.

5 — Et celui-ci, Messieurs, ressemble-t-il à ce que je viens de vous montrer ? [3]

— Oui, évidemment.

— Et ce troisième ressemble-t-il au second ?

[1] ***il fit d'abord passer devant les jurés un portrait du roi,*** he first caused a picture of the king to be brought before the jurors

[2] ***ressemble-t-il au roi,*** does it look like the king

[3] ***ce que je viens de vous montrer,*** that which I just showed you

— Oui.

— Et ce quatrième dessin ne ressemble-t-il pas au troisième?

— Certainement.

— Le cinquième ressemble au quatrième? 5

— Oui.

— Et ce sixième dessin, qui représente une poire, ressemble au dessin précédent?

— Il faut en convenir.[1]

[1] ***Il faut en convenir.*** (*here*) We must admit that.

— Convenez donc, Messieurs, que ce sixième dessin, qui ressemble au cinquième, lequel ressemble au quatrième, lequel ressemble au troisième, lequel ressemble au deuxième, lequel ressemble au premier, 5 qui ressemble au roi, ce sixième dessin, qui représente une poire, ressemble donc au roi!

L'artiste fut acquitté.

* * *

Louis-Philippe, d'ailleurs, acceptait ces piqûres d'épingles [1] avec bonne humeur. Victor Hugo nous 10 raconte que le roi vit un jour deux petits gamins qui dessinaient sur le mur du palais des Tuileries, où il habitait, une énorme poire. Il resta derrière eux en silence jusqu'à ce que [2] fût terminée l'œuvre d'art, et lorsqu'ils se retournèrent et aperçurent le roi, ils 15 voulurent se sauver. Mais Louis-Philippe les retint et sortant de sa poche deux pièces de monnaie à son effigie,[3] il les leur donna en disant:

— La poire est aussi là-dessus.

C'est sans doute là l'origine [4] de l'expression 20 populaire: avoir une bonne poire, pour dire que quelqu'un a une figure exprimant la bonté. Et, par extension, on est arrivé à dire [5] que quelqu'un dont la bonne figure traduit la naïveté est « une poire, » [6] c'est-à-dire,[7] une personne facile à duper.

---

[1] ***ces piqûres d'épingles,*** these pin pricks
[2] ***jusqu'à ce que,*** until the moment when
[3] ***sortant de sa poche deux pièces de monnaie à son effigie,*** pulling out of his pocket two coins bearing his likeness
[4] ***c'est sans doute là l'origine,*** this without doubt is the origin
[5] ***on est arrivé à dire,*** one came to say
[6] « ***Une poire*** » *is the French popular equivalent for our expression "a greenhorn."*
[7] ***c'est-à-dire,*** that is

# Anecdotes sur Alexandre Dumas Père

(19^me^ siècle)

Toute la jeunesse américaine connaît Alexandre Dumas, l'auteur des *Trois Mousquetaires* et de tant d'autres [1] romans d'aventures. Sans doute aimeront-ils connaître quelques traits du caractère de leur auteur favori. 5

Il était grand, fort, joyeux, avec l'imagination et le cœur d'un enfant. Il écrivait ses romans si vite que, parfois, il s'embrouillait dans les complications des histoires qu'il inventait. Aussi,[2] de crainte de faire réapparaître un des personnages [3] qu'il avait déjà 10 fait mourir [4] au cours des aventures précédentes, il

---

[1] ***tant d'autres,*** so many other
[2] ***aussi,*** (*here*) therefore
[3] ***de crainte de faire réapparaître un des personnages,*** for fear of having one of the characters reappear
[4] ***qu'il avait déjà fait mourir,*** whom he had already caused to die

avait placé sur sa table de travail une rangée de marionettes. Chacune représentait un de ses héros ou une de ses héroïnes. Et, lorsqu'il avait fait mourir l'un d'eux [1] dans un duel, une bataille, un crime ou un accident, il renversait cette marionette.

Alexandre Dumas père

Un jour un de ses amis vint le voir et le trouva en contemplation devant une de ces poupées renversées sur la table: il avait les yeux pleins de larmes.[2]

— Qu'y a-t-il,[3] dit l'ami, tu pleures?

Alexandre Dumas répondit avec un sanglot:

— Il est mort!

— Mort, qui donc?

— Mais Porthos! ce bon Porthos!

* * *

Il avait un fils qui porta le même nom [4] que son père et rendit ce nom célèbre également. C'est notre dramaturge bien connu, Alexandre Dumas fils.

Alexandre Dumas père n'avait aucun sens financier.[5] Quand il avait de l'argent, il le mettait dans le crâne d'une tête de mort [6] sur une table de son cabinet de travail. Cet argent n'y restait jamais

---

[1] ***lorsqu'il avait fait mourir l'un d'eux,*** when he had caused one of them to die

[2] ***il avait les yeux pleins de larmes,*** his eyes were full of tears

[3] ***Qu'y a-t-il?*** What is the matter?

[4] ***qui porta le même nom,*** who bore the same name

[5] ***(il) n'avait aucun sens financier,*** (he) had no money sense at all

[6] ***le crâne d'une tête de mort,*** (*here*) the hollow of a skull

longtemps, car il était aussi généreux qu'[1]insouciant. Son fils vint le voir un jour:

— Peux-tu me donner de l'argent? Je voudrais inviter des amis à souper.

— Prends ce qu'il te faut [2] dans la tête de mort, lui dit son père.

En sortant, Alexandre fils lui dit:

— Au revoir, et merci. A propos, je t'ai laissé cinq francs dans la tête de mort.

Après son départ, le père se tourna vers un ami qui était présent et dit, avec émotion, en montrant la porte par où [3] était sorti son fils:

— Quel cœur d'or, cet Alexandre!

Entre autres faiblesses, il était très gourmand. Il avait de longues conférences avec sa cuisinière qu'il considérait comme une artiste.[4] Cette cuisinière était une brave Alsacienne qui faisait des sauces merveilleuses, mais ne savait guère l'orthographe.[5] Elle était arrivée à [6] signer son nom sans employer une seule des lettres dont il était composé. Un soir, elle laissa sur la table d'Alexandre Dumas le billet suivant:

Monsieur chai plu tarchan bour le marjé temain
Çaufy.

Vous avez tous bien compris:

Monsieur, je n'ai plus d'argent pour le marché demain.
Sophie.

---

[1] ***aussi généreux que,*** as generous as
[2] ***ce qu'il te faut,*** what you need
[3] ***en montrant la porte par où,*** while pointing at the door through which
[4] ***qu'il considérait comme une artiste,*** whom he regarded as an artist
[5] ***(elle) ne savait guère l'orthographe,*** (she) knew scarcely anything about spelling [6] ***elle était arrivée à,*** she managed to

# L'Or sur la Route

(19me siècle)

Au moment du sacre du roi Charles X, Victor Hugo était encore très jeune. Le comte d'Artois, frère du roi Louis XVIII, et qui, à la mort de ce dernier, était devenu roi de France, était à la fois [1] un admirateur et un protecteur du jeune poète. Aussi [2] Victor Hugo à vingt-six ans était-il encore royaliste enthousiaste.

Il avait décidé d'aller, avec son ami Louis Boulanger, peintre bien oublié [3] depuis, assister au sacre de Charles X à Reims. Ce devait être [4] une belle cérémonie et la route à travers les campagnes riantes de l'Ile-de-France et de la Champagne, était agréable à parcourir. Ils louèrent donc une voiture et partirent très joyeux.

Peu de temps [5] avant d'arriver à Reims, il fallait

---

[1] ***à la fois,*** at the same time, both
[2] ***aussi,*** (*here*) accordingly, so
[3] ***bien oublié,*** quite forgotten
[4] ***ce devait être,*** this was to be
[5] ***peu de temps,*** a short time

monter [1] une côte assez raide. Pour soulager les chevaux fatigués les deux jeunes gens descendirent et montèrent à pied [2] tandis que la voiture les précédait. Tout à coup [3] Louis Boulanger s'arrêta en poussant une exclamation.[4] Quelque chose brillait à ses pieds: une pièce d'or de vingt francs! Il la ramassa. Quelques pas plus loin, Victor Hugo s'arrêta à son tour: [5] une autre pièce d'or! Et, à partir de ce moment,[6] ils ramassèrent tous les vingt ou trente mètres une ou plusieurs pièces de monnaie.

Victor Hugo

—Quelle générosité! quelle bonté! Notre nouveau roi sème de l'or sur les routes qui conduisent à son sacre, s'écria Victor Hugo avec lyrisme [7] au moment où [8] ils atteignaient le sommet de la côte.

Les poches pleines d'or, ils s'approchèrent de [9] la voiture pour y remonter, quand ils aperçurent le sac de voyage de Victor Hugo, accroché à l'arrière. Ce sac, en tapisserie,[10] avait crevé, et, par le trou, on voyait encore sortir les dernières pièces d'or, reste

[1] ***il fallait monter,*** it was necessary to go up
[2] ***(ils) montèrent à pied,*** (they) walked up
[3] ***tout à coup,*** all at once
[4] ***en poussant une exclamation,*** while uttering a cry
[5] ***à son tour,*** in his turn
[6] ***à partir de ce moment,*** from that moment on
[7] ***avec lyrisme,*** with poetic enthusiasm
[8] ***au moment où,*** at the moment when
[9] ***s'approcher de,*** to approach
[10] ***en tapisserie,*** made of carpeting (a carpet bag)

de la somme que le poète avait emportée pour son voyage, et mise, négligemment, sous ses vêtements. Il se tourna vers Louis Boulanger, la main tendue:

— Rends-moi l'argent du roi. C'est celui des Muses.

# EXERCICES

## CHEZ LE DOCTEUR

I. *Notice the following expressions:*

| | |
|---|---|
| 1. Je suis **chez le docteur.** | I am *at the doctor's.* |
| 2. Je rentre **chez moi.** | I return *home.* |
| 3. **Au lieu de** bien dormir, j'ai des cauchemars. | *Instead of* sleeping well I have nightmares. |
| 4. Avez-vous **jamais** pêché sans permis ? | Did you *ever* fish without a license ? |

II. *Form four original French sentences, using in each sentence one of the French expressions illustrated above.*

III. *Separate the following letters into French words, forming a complete French sentence:*

Jer Êv Equ' o Nmet Apes u Rl' épau Le; qu' ung En Dar Mem' Ar Rête.

IV. *Answer the following questions in complete French sentences:*

1. De quoi se plaint le client du docteur ?
2. Que fait-il au lieu de bien dormir ?
3. Quel genre de cauchemars a-t-il ?
4. Qui est-ce qui lui tape sur l'épaule ?
5. Où l'enferme-t-on ?
6. Quel est le diagnostic du docteur ?
7. De quoi vit le client ?
8. Que faut-il pour pêcher en paix ?

V. *Answer the following questions in complete French sentences:*

1. Why do people go to the doctor ?
2. What does this man dream ?
3. What kind of sport is fishing ?

## DANS UN TRAIN

I. *Notice the following expressions:*

| | |
|---|---|
| 1. **A côté d'**un monsieur une place est vide. | *Next to* a gentleman a place is free. |
| 2. **En indiquant** le chapeau. | *While indicating* the hat. |
| 3. **Il** lève **les yeux.** | *He* raises *his eyes.* |
| 4. Il **entre dans** le compartiment. | He *enters* the compartment. |
| 5. Le chapeau **est à** moi. | The hat *belongs to* me. |

II. *Form five original French sentences, using in each sentence one of the French expressions illustrated above.*

III. *How many French words can you form, using only letters contained in* **les compartiments?** (*Time limit* 5 *minutes*)

IV. *Answer the following questions in complete French sentences:*

1. Où s'arrête le train ?
2. Le compartiment est-il vide ?
3. Que lit le monsieur sans chapeau ?
4. Que lui demande le nouveau venu ?
5. Qui appelle le contrôleur ?
6. Où le contrôleur entre-t-il ?
7. Que dit-il au voyageur sans chapeau ?
8. Le voyageur refuse-t-il d'enlever le chapeau ?
9. Quelle raison donne-t-il de son refus ?

V. *Fill in the correct endings or words:*

1. — train — arrête — — station. 2. — place — vide — côté — un monsieur — lit son —. 3. « Je vous — pardon, » dit le — venu — indiquant le —. 4. Le — lève les — sans — et continue — — son —. 5. — voyez bien — il — y a pas d'autre — libre. 6. — chapeau-là — est pas — moi.

## L'ÉPAGNEUL

I. *Notice the following expressions:*

| | |
|---|---|
| 1. **Avez-vous besoin d'**un guide? | *Do you need* a guide? |
| 2. J'entends **tout ce que** vous dites. | I hear *all* you say. |
| 3. J'ai tout ce qu'**il me faut.** | I have all *I need.* |
| 4. Je **m'intéresse aux** chiens. | I *am interested in* dogs. |
| 5. Je **ne** m'intéresse **qu'**aux chiens. | I am interested *only* in dogs. |
| 6. Le prix n'**a** pas **d'importance.** | The price *is of* no *importance.* |

II. *Form six original French sentences, using in each sentence one of the French expressions illustrated above.*

III. *Rearrange the following letters so as to form French words:*

1. (un) ehmom
2. (les) nomemustn
3. (la) elilv
4. (j') meai
5. (les) esichn

IV. *Answer the following questions in complete French sentences:*

1. Qui est-ce qui aborde le touriste?
2. Que lui demande-t-il d'abord?
3. Que peut-il lui montrer?
4. Où peut-il le conduire?
5. A quel régime est le touriste?
6. A quoi s'intéresse-t-il?
7. L'homme du pays est-il amateur de chiens?
8. Quelle race de chiens le touriste aime-t-il?
9. Où l'homme du pays sait-il trouver ce chien?
10. Quelle question pose-t-il après quelques pas?

## DEUX ASSOCIÉS

I. *Notice the following expressions:*

| | |
|---|---|
| 1. Ils sont **au jardin.** | They are *in the garden.* |
| 2. Ils sont **en train de** manger les abricots. | They are *in the act of* eating the apricots. |
| 3. Elle appelle **à haute voix.** | She calls *in a loud voice.* |
| 4. Ils sont **chez le voisin.** | They are *at the neighbor's.* |
| 5. Je **ne** fais **rien du tout.** | I am *not* doing *anything at all.* |

II. *Form five original French sentences, using in each sentence one of the French expressions illustrated above.*

III. *Answer the following questions in complete French sentences:*

1. Quel est le travail qui absorbe la mère ?
2. Que dit-elle quand elle s'arrête de coudre ?
3. Quels sont les noms des deux garçons ?
4. Quand disparaissent-ils ?
5. Que fait-elle au pied de l'escalier ?
6. Que peuvent-ils faire dans le jardin ?
7. Que peuvent-ils faire chez le voisin ?
8. D'où semble descendre une voix d'enfant ?
9. Où est Jean ?
10. Que fait-il ?
11. Où est Claude ?
12. Que fait-il ?

IV. *According to the text each of the following statements is false. Replace each incorrect statement with the correct French sentence:*

1. La mère est assise sous l'abricotier.
2. Elle est absorbée dans un livre.
3. Elle a deux petites filles.

4. Les petites filles sont chez le voisin.
5. Elles mangent des abricots.
6. Les abricots sont mûrs.

## APPELEZ LES POMPIERS!

I. *Notice the following expressions:*

| | |
|---|---|
| 1. Il déteste **tout ce qui** est moderne. | He detests *all that* is modern. |
| 2. Les hôtels qui **n'**ont **ni** ascenseur **ni** téléphone. | The hotels which have *neither* an elevator *nor* a telephone. |
| 3. Il **fait** frais. | It *is* cool. |
| 4. Une **demi-heure** se passe. | A *half-hour* passes. |
| 5. Une heure et **demie** se passe. | An hour and *a half* passes. |
| 6. Je viens **tout de suite.** | I am coming *right away.* |
| 7. **Encore** un verre d'eau. | *Another* glass of water. |
| 8. **De nouveau** il prend le verre. | *Again* he takes the glass. |
| 9. Il est **à peine** venu. | He has *hardly* come. |
| 10. **J'ai soif.** | I *am thirsty.* |

II. *Form ten original French sentences, using in each sentence one of the French expressions illustrated above.*

III. *Answer the following questions in complete French sentences:*

1. Que déteste Monsieur Fénuquet ?
2. Que fait-il un jour de l'automne ?
3. Que lui apporte l'unique domestique ?
4. Comment le domestique allume-t-il le feu ?
5. Où est la sonnette ?
6. Qu'est-ce qui retentit au bout d'une demi-heure ?
7. Où le garçon remplit-il le verre ?

8. Qu'arrive-t-il lorsqu'il est à peine arrivé au bas de l'escalier ?
9. Où le garçon, exaspéré, trouve-t-il de nouveau Monsieur Fénuquet ?
10. Pourquoi Monsieur Fénuquet avait-il besoin de ces verres d'eau ?

IV. *Complete the following French sentences:*

1. Il aime la — plus que le —. 2. Ces hôtels n'ont ni — courante dans les —, ni —, ni —, ni —. 3. Il — arrête dans — —. 4. Monsieur n' — besoin — rien — autre ? 5. Si Monsieur — besoin — — chose, voici — sonnette — — lit. 6. Le garçon frappe à — —. 7. Un verre — eau.

V. *Change the following words in two jumps, as indicated. Change only one letter at a time and be sure that each jump results in a good French word.*

Example: *Change* (le) mot *to* bon
(le) mot mon bon

*Change in two jumps:*

(le) soif *to* noir
(le) matin *to* (le) lapin
lire *to* dure (*fem. sing. form of* dur)
me *to* sa

*Change in three jumps:*

(le) jour *to* (le) bout

*Change in four jumps:*

cent *to* fort

VI. *Define each of the following expressions in a complete French sentence:*

1. le docteur. 2. un malade. 3. la prison. 4. un voyageur. 5. un homme du pays. 6. un touriste.

7. un guide. 8. un amateur de chiens. 9. un voisin. 10. une voisine. 11. un domestique. 12. un restaurant.

## UNE CHAMBRE DANS LE CIEL

I. *Notice the following expressions:*

| | |
|---|---|
| 1. Il **fait ses comptes.** | He *is taking stock.* |
| 2. Vingt francs **au plus.** | Twenty francs *at the most.* |
| 3. Les tarifs sont **au-dessus de** ses moyens. | The rates are *beyond* his means. |
| 4. Il **se met en marche.** | He *starts walking.* |
| 5. Il porte sa valise **à la main.** | He carries his bag *in his hand.* |
| 6. Ils **s'approchent du** bureau. | They *approach* the desk. |
| 7. Au **premier** étage | On the *second* floor |
| 8. Au **deuxième** étage | On the *third* floor |
| 9. **D'**un geste de **la** main il écarte cette idée. | *With* a gesture of *his* hand he discards this idea. |

II. *Form nine original French sentences, using in each sentence one of the French expressions illustrated above.*

III. *Separate the following letters into French words, forming a complete French sentence:*

Ilf aits esc Omp Tesd An Sl Ac ourd El Aga Re.

IV. *Answer the following questions in complete French sentences:*

1. De quoi Jérôme est-il riche ?
2. Combien pense-t-il payer une chambre ?
3. Que porte-t-il à la main ?
4. Quel genre d'établissement est le premier hôtel ?
5. Qu'aperçoit-il dans une petite rue écartée ?
6. Décrivez la dame qui est assise au bureau.
7. Par quelles paroles accueille-t-elle Jérôme ?

8. Combien coûte une chambre au premier étage avec salle de bain ?
9. Pourquoi les chambres les plus hautes sont-elles les moins chères ?
10. Quand Jérôme reviendra-t-il ?

V. *Complete the following sentences:*

1. Jérôme arrive . . . .
2. Il est riche d'espoirs et d'ambition, mais pauvre . . . .
3. Il fait ses comptes dans . . . .
4. Il porte sa valise à . . . .
5. Il entre dans . . . .
6. Il s'approche du . . . .
7. Je reviendrai quand vous aurez . . . .

## TABLEAU DE PARIS — I

I. *Notice the following French expressions:*

| | |
|---|---|
| 1. Il a **peut-être** de mauvais desseins. | He has *perhaps* evil intentions. |
| 2. Je **ne** fais **aucun** mal. | I am *not* doing *any* harm. |
| 3. **J'ai faim.** | I *am hungry.* |
| 4. Je trouve **tout ce qui me manque.** | I find *everything* (*that*) *I lack.* |

II. *Form four original French sentences, using in each sentence one of the French expressions illustrated above.*

III. *Answer the following questions in complete French sentences:*

1. Comment le restaurant est-il éclairé ?
2. Comment sont les habits de l'homme qui s'arrête ?
3. Où s'accroupit-il ?
4. Que tire-t-il de sa poche ?
5. Comment sont vêtus les hommes qui entrent dans le restaurant ?

6. Qu'arrive-t-il à chaque tour de la porte-revolver ?
7. Qui est-ce qui s'étonne et s'inquiète ?
8. A quoi la haine et l'envie vont-ils peut-être pousser le miséreux ?
9. Que dit l'agent de police en s'approchant ?
10. A l'odeur de quoi le pauvre mange-t-il son pain ?

IV. *According to the text the following statements are false. Substitute for each false statement the proper French sentence.*

1. L'homme est très riche.
2. Ses habits sont élégants.
3. Il entre dans le restaurant.
4. Il va manger son dîner au restaurant.
5. Il est avec ses amis.
6. Il a beaucoup d'amis.
7. Il n'a pas faim.

## TABLEAU DE PARIS — II

### Au Bord de la Seine

I. *Notice the following expressions:*

| | |
|---|---|
| 1. **J'ai envie de** le voir. | I *have a mind* (*should like*) *to* see him. |
| 2. Il **se met au** travail. | He *starts to* work. |
| 3. **A votre aise.** | *Suit yourself.* |
| 4. **A mon avis.** | *In my opinion.* |

II. *Form four original French sentences, using in each sentence one of the French expressions illustrated above.*

III. *Answer the following questions in complete French sentences:*

1. Qui est-ce qui attend le chien ?
2. Qui trotte derrière le monsieur ?
3. Que fait le chien au bord de l'eau ?

4. De quoi a-t-il besoin ?
5. Où le tondeur le plonge-t-il ?
6. Pourquoi le tondeur veut-il le tondre ?
7. Que devient le malheureux toutou sous les cisailles agiles du tondeur ?
8. Que dit le monsieur à la fin ?

IV. *Supply the missing endings and words:*

1. — les peupliers — tondeur — chiens attend les —. 2. — monsieur — arrête — bord — — rivière. 3. Il — besoin — — lavé. 4. Le tondeur plong— le — dans — rivière, le couvre — savon noir et le rince — nouveau — l'eau courant—. 5. — mon avis, Monsieur, — chien — besoin — être tondu. 6. Le tondeur — envie — tondre le chien — — dernière mode. 7. Ce chien — est pas — moi.

V. *Answer the following questions in complete French sentences:*

1. What does a dog washer and clipper do ?
2. Where does our dog washer await his customers ?
3. What does the dog need?
4. How does the dog look after he is washed and clipped ?

## TABLEAU DE PARIS — III

### Nénette et Rintintin

I. *Notice the following expressions:*

| | |
|---|---|
| 1. Leurs deux boutiques sont **côte à côte.** | Their two stores are *side by side.* |
| 2. Elle est **d'un certain âge.** | She is *elderly.* |
| 3. **Elle a la figure ronde et pleine.** | *Her face is round and full.* |
| 4. Il laisse **tomber par terre** un paquet. | He lets a package *fall to the ground.* |

| | |
|---|---|
| 5. Nénette **a l'air de** dormir. | Nénette *seems to* sleep. |
| 6. Que va-t-il **arriver?** | What is going *to happen?* |
| 7. Ils disent au garçon **ce qu'ils pensent de lui.** | They tell the boy *what they think of him.* |
| 8. **Tous deux** (*m.*); **toutes deux** (*f.*) | *Both* |
| 9. Le garçon s'enfuit **au milieu des** huées. | The boy flees *in the midst of* jeers. |

II. *Form nine original French sentences, using in each sentence one of the French expressions illustrated above.*

III. *Answer the following questions in complete French sentences:*

1. Qui est Madame Philibert ? Madame Delorme ?
2. Qu'admet Madame Delorme ?
3. De quelle couleur sont les cheveux de Madame Philibert ?
4. Que vend Madame Philibert ?
5. Qu'est-ce qui dure plus longtemps ? les plantes ou les fleurs coupées ?
6. A quoi Madame Philibert s'intéresse-t-elle dans le journal ?
7. Quelle est la faiblesse de Madame Delorme ?
8. Qui interroge-t-elle ?
9. Quels animaux ont-elle chacune ?
10. De quelle couleur est Nénette ?
11. Pourquoi la queue de Rintintin frétille-t-elle ?
12. Que fait Nénette lorsqu'elle rencontre Rintintin dans la rue ?
13. Qu'a fait le garçon boucher en descendant de sa bicyclette ?
14. Qu'est-ce qui apparaît quand le paquet s'ouvre ?
15. Où le chien et la chatte posent-ils la patte ?
16. Quel effet les cris des enfants ont-ils sur les animaux ?
17. De quel animal chacune des dames s'empare-t-elle ?

18. Pourquoi la chatte ne vole-t-elle pas de viande ?
19. Qu'arrive-t-il aux cheveux de chacune des dames ?
20. Que jure Madame Philibert ?
21. Que fait le pauvre garçon boucher ?
22. De quoi est-ce le commencement ?

IV. *According to the text the following statements are false. Substitute for each false statement the proper French sentence.*

1. Madame Delorme est très jeune.
2. Madame Philibert est la fleuriste.
3. La fleuriste vend du fil, des aiguilles, des boutons et du ruban.
4. Madame Delorme s'intéresse surtout aux crimes. Elle lit le journal du commencement à la fin.
5. Le garçon boucher laisse tomber par terre un morceau de pain.
6. Le chien est végétarien.
7. La chatte mange ce morceau de viande.

## TABLEAU DE PARIS — IV

### Le Temps des Cerises

I. *Notice the following expressions:*

| | |
|---|---|
| 1. **Il fait doux** au printemps. | *It is mild* in the spring. |
| 2. Il fait doux **au printemps.** | It is mild *in the spring.* |
| 3. On les écoute **à peine.** | One *hardly* listens to them. |
| 4. Le temps des cerises est **bien court.** | Cherry time is *quite short.* |
| 5. Les arbres sont **le long des routes.** | The trees are *along the roads.* |
| 6. On aperçoit **au loin** les sommets. | One sees the heights *in the distance.* |

| | |
|---|---|
| 7. C'est **l'heure** pour la plupart d'entre eux **de** venir. | This is *the time* for most of them *to* come. |
| 8. C'est l'heure pour **la plupart d'entre eux** de venir. | This is the time for *most of them* to come. |

II. *Form eight original French sentences, using in each sentence one of the French expressions illustrated above.*

III. *Rearrange the following words so as to form a French sentence:*

A sont d' de la assis étudiants café nombreux terrasse un.

IV. *Answer the following questions in complete French sentences:*

1. Quelle est cette fin de journée ?
2. Pourquoi les étrangers sont-ils venus en France ?
3. Que font les musiciens ambulants ?
4. Quel genre de chanson chante la femme ?
5. Qu'est-ce qui se glisse dans les cœurs ?
6. Que fait chacun dans la douceur du soir de printemps ?
7. Quel clocher aperçoit-on au loin en Alsace ?
8. Qu'est-ce qui s'étend autour du village basque ?
9. Décrivez le lac de Savoie.
10. Où Tom se retrouve-t-il transporté ?
11. Que vendent les fermiers en Californie ?
12. Pourquoi la chanteuse passe-t-elle entre les tables ?
13. Où les étudiants vont-ils rentrer ?
14. Que dit la femme à son mari ?

V. *Describe in French the following situation:*

You are in the country visiting friends. It is springtime. Behind the house you see several large cherry trees. It is cherry time. The cherries are ripe and ready to be picked. You help your friends pick them.

VI. *Define each of the following expressions in a complete French sentence:*

1. un jardin. 2. la gare. 3. les dîneurs. 4. une mercière. 5. la fleuriste. 6. un boucher. 7. une amitié. 8. des musiciens. 9. une étudiante. 10. la chanteuse.

## UN HOMME BIEN ÉLEVÉ

I. *Notice the following expressions:*

| | |
|---|---|
| 1. Je **sors de chez ma sœur.** | I *am coming from my sister's house.* |
| 2. Il **aime mieux** la cuisine française. | He *likes* French cooking *best.* |
| 3. **Tout à coup** ils se trouvent devant le restaurant. | *Suddenly* they find themselves in front of the restaurant. |
| 4. Nous aimons **tous les deux** ce restaurant. | We *both* like this restaurant. |

II. *Form four original French sentences, using in each sentence one of the French expressions illustrated above.*

III. *Rearrange the following letters so as to form French words:*

1. (un) iam
2. (la) eru
3. (le) ttnrasauer
4. siamvau

IV. *Answer the following questions in complete French sentences:*

1. Où Marcel rencontre-t-il Gustave ?
2. De chez qui sort Gustave ?
3. Que reproche-t-il à son nouveau beau-frère ?
4. Pourquoi emmène-t-il Louis au restaurant de la Pomme d'Or ?
5. Si Marcel le comprend bien, qu'appelle-t-il un homme bien élevé ?
6. Devant quel restaurant se trouvent-ils ?
7. Que leur sert-on pour commencer ?

8. A qui le garçon passe-t-il le plat d'abord ?
9. Que reste-t-il à Marcel ?
10. Que ferait-il s'il était servi le premier ?

V. *Complete the following sentences:*

1. Marcel rencontre son ami dans — —.
2. Que fais-tu dans — — ?
3. Qu'appelles-tu être bien — ?
4. J'invite Louis à — — —.
5. Un homme bien élevé est un homme qui — — — — — et cherche à — —.
6. Il est l'heure de —.
7. Marcel doit se contenter de — —.
8. La queue est pleine — —.
9. Gustave prend le morceau le plus —.
10. Est-il bien — ?

VI. *Describe in French the following situation:*

You meet an old friend on the street. After you exchange greetings, you invite your friend to dine with you. You go to a restaurant and order a complete dinner.

## UN ANIMAL TRANQUILLE

I. *Notice the following expressions:*

| | |
|---|---|
| 1. Il me l'apporte **tous les ans.** | He brings it to me *every year.* |
| 2. **Pas du tout.** | *Not at all.* |
| 3. **A moins d'**avoir des domestiques. | *Unless* one has servants. |
| 4. **C'est dommage** qu'il n'aime pas les chats. | *It is too bad* that he does not like cats. |
| 5. Je les **fais envoyer.** | I *have* them *sent.* |
| 6. Ils m'ont tenue éveillée **toute la nuit.** | They kept me (*fem.*) awake *all night.* |

II. *Form six original French sentences, using in each sentence one of the French expressions illustrated above.*

III. *Answer the following questions in complete French sentences:*

1. Devant quoi Suzanne est-elle assise ?
2. Qu'est-ce qui est gentil ?
3. Pourquoi ne faut-il rien ajouter dans le thé ?
4. Pourquoi Juliette refuse-t-elle un gâteau ?
5. Que dit-elle en apercevant l'aquarium ?
6. De quoi se plaint tante Zélie ?
7. Quel animal a Madame Poret ?
8. Que fera un canari si tante Zélie s'endort ?
9. Quel genre d'animal désire-t-elle ?
10. Qu'aperçoit Suzanne en passant devant une boutique ?
11. Qu'y avait-il de marqué sur le paquet ?
12. Pourquoi tante Zélie ne veut-elle pas de poissons ?

IV. *According to the text each of the following statements is false. Replace each of the incorrect statements with the correct French sentence:*

1. Suzanne entre dans le salon où Juliette est assise devant une table à thé servie.
2. Juliette prend du café avec du sucre et du lait.
3. Suzanne aime les poissons rares.
4. Elle donne un petit chien à sa tante Zélie pour sa fête.
5. Sa tante Zélie aime beaucoup les chats.
6. Sa tante Zélie a deux canaris et un perroquet.
7. Suzanne donne les poissons à son amie.

## LE CONNAISSEUR EN MUSIQUE

I. *Notice the following expressions:*

| | |
|---|---|
| 1. Ce sont les trompettes d'*Aïda*, **voilà tout.** | They are the trumpets of *Aïda*, *that is all.* |
| 2. **Ce soir** retentiront les trompettes. | *Tonight* the trumpets will sound. |

| | |
|---|---|
| 3. *Aïda*, **qu'est-ce que c'est ?** | *Aïda, what is that?* |
| 4. **Qu'est-ce que** cela veut dire ? | *What* does that mean ? |
| 5. Qu'est-ce que **cela veut dire ?** | What *does that mean?* |
| 6. Ils arrivent **juste à temps.** | They arrive *just in time.* |
| 7. Il chuchote **de temps à autre.** | He whispers *from time to time.* |
| 8. **Prends patience !** | *Be patient!* |
| 9. **Tout à coup** il lève les yeux. | *Suddenly* he raises his eyes. |
| 10. Je **connais** *Aïda* **par cœur.** | I *know Aïda by heart.* |

II. *Form ten original French sentences, using in each sentence one of the French expressions illustrated above.*

III. *Rearrange the following words so as to form a French sentence:*

cigarette entr'acte sortent l' une ils fumer pendant pour

IV. *Answer the following questions in complete French sentences:*

1. Où sont assis Tancrède et Félicien ?
2. Que lisent-ils ?
3. Qui des deux amis est le premier connaisseur en musique ?
4. Que peut-il chanter par cœur ?
5. Qu'annonce le journal ?
6. Que doit-il se passer sur la scène du Grand Théâtre ?
7. Où vont les deux amis avant d'aller au théâtre ?
8. Que chuchote Félicien ?
9. Que font les spectateurs après le baisser du rideau ?
10. Pourquoi sortent-ils pendant l'entr'acte ?
11. Pourquoi riez-vous quand Tancrède dit qu'il sait *Faust* par cœur ?

V. *Answer the following questions in French:*

1. Why is *Faust* given instead of *Aïda?*
2. Why does Tancrède leave?

## ON DEMANDE MONSIEUR CLOUTIER

I. *Notice the following expressions:*

| |  |  |
|---|---|---|
| 1. | **On demande** Monsieur Cloutier. | *Page* Mr. Cloutier. |
| 2. | La scène **se passe** aux environs. | The action *takes place* in the suburbs. |
| 3. | **Il fait nuit.** | *It is dark.* |
| 4. | La porte **s'ouvre.** | The door *is opened.* |
| 5. | **Il fait noir.** | *It is dark.* |
| 6. | **Prenez garde!** | *Be careful!* |
| 7. | **Tant mieux.** | *So much the better; all the better.* |
| 8. | **Tout le monde** sait. | *Everybody* knows. |
| 9. | **Il vaut mieux.** | *It is better.* |
| 10. | Vous **avez raison.** | You *are right.* |
| 11. | Je **viens de faire** mon travail. | I *just did* my work. |
| 12. | Il **ferme** la porte **à clef.** | He *locks* the door. |
| 13. | C'est un monsieur **d'un certain âge.** | He is a *middle-aged* gentleman. |
| 14. | Que **se passe-t-il** ici? | What *is going on* here? |
| 15. | Dites-moi **ce que** vous faites chez moi. | Tell me *what* you are doing in my house. |
| 16. | **Quant à moi,** je suis l'inspecteur. | *As for me*, I am the inspector. |
| 17. | J'ai couru **aussi vite que** j'ai pu. | I ran *as fast as* I could. |

II. *Form seventeen original French sentences, using in each sentence one of the French expressions illustrated above.*

III. *Answer the following questions in complete French sentences:*

1. Où se passe la scène ?
2. Que voit-on par une fente sous la porte ?
3. Qu'est-ce qui traverse l'obscurité ?
4. Que dit Jujules lorsque l'électricité est allumée ?
5. Qu'est-ce que tout le monde sait ?
6. Pourquoi Jujules n'aime-t-il pas travailler dans ces conditions ?
7. Où a-t-il été pendant trois ans ?
8. Qui voient-ils dans le cadre de la porte ouverte ?
9. Comment s'appelle le monsieur en manteau ?
10. Que fait-il après avoir fermé à clef la porte du placard ?
11. Qui est le monsieur qui a entendu des éclats de voix de la route ?
12. L'inspecteur de police est-il du pays ?
13. Que lui dit Monsieur Cloutier au sujet des deux cambrioleurs ?
14. Que met Gaspard aux deux voleurs ?
15. Pourquoi Monsieur Barbier ne le laisse-t-il pas partir si vite ?
16. Comment est le nouveau monsieur ?
17. Que dit-il en entrant dans le salon ?
18. Qu'est-ce qui semble curieux à Monsieur Barbier ?
19. Que sort Monsieur Cloutier No 1 de sa poche ?
20. Quels nouveaux personnages font leur entrée ?
21. Où est le vrai Monsieur Cloutier ?
22. Quelle habitude Monsieur Barbier avait-il prise ?

IV. *Describe in French the floor plan of a small country house. Make the accompanying drawings.*

V. *Complete the following sentences:*

1. La scène se passe — environs — Paris — — salon — une villa élégante — bord — — route.
2. — une fenêtre — — porte — voit un — de lumière.

3. — entend — bruit — une porte que quelqu'un ferme — clef.
4. — porte — salon s'ouvre lentement, silencieusement, avec — infinies précautions; le porteur — — lanterne, suivi — — autre homme, entre — — pièce et referme — porte.
5. Prends —, on — la lumière de — route.
6. Tu — raison, ne perdons — de temps.
7. Il tire — instruments de — poche.
8. — n'aime — travailler — ces conditions.
9. Nous — savons rien — cette maison.
10. Il continue — fouiller — le coffre-fort et jette, — mesure qu'il — trouve, — bijoux — — sac que lui tend son ami.

## UN PEU DE SILENCE, S'IL VOUS PLAÎT

I. *Notice the following expressions:*

| | |
|---|---|
| 1. **Qu'y a-t-il?** | *What is the matter?* |
| 2. Je **demeure depuis** vingt ans dans le même appartement. | I *have been living for* twenty years in the same apartment. |
| 3. **Il y a** deux mois. | Two months *ago*. |
| 4. Ils courent **toute la journée.** | They run *all day long*. |
| 5. Cela me **rend fou.** | That *drives* me *crazy*. |
| 6. Je monte **chez eux.** | I go up *to their apartment (place)*. |
| 7. Cela **coûte** très **cher.** | That *is* very *expensive*. |
| 8. Cela coûte **au moins** mille francs. | That costs *at least* a thousand francs. |
| 9. **Il faut que je** monte. | *I must* go up. |
| 10. Je **demande à** mes **voisins l'adresse.** | I *ask my neighbors for the address*. |

II. *Form ten original French sentences, using in each sentence one of the French expressions illustrated above.*

III. *Answer the following questions in complete French sentences:*

1. Comment Félix se comporte-t-il dans la rue ?
2. Où vont-ils s'asseoir ?
3. Que déteste Félix ?
4. Depuis combien de temps habite-t-il son appartement ?
5. Combien y a-t-il d'enfants dans la famille ?
6. Que font ces enfants toute la journée ?
7. Comment Félix se présente-t-il ?
8. Que répond le voisin ?
9. Quels livres lisent-ils, lui et sa femme ?
10. De quoi ces jeunes enfants ont-ils besoin ?
11. Que pourrait-on faire poser dans l'appartement ?
12. Combien coûtent des tapis ?
13. Quelles responsabilités a cet homme ?
14. Que vaut la tranquillité de Félix ?
15. Comment considère-t-il ces quatre mille francs ?
16. Qu'allume-t-il vers le soir ?
17. De quoi s'étonne-t-il soudain ?
18. Avec quoi la femme s'achète-t-elle un manteau de fourrure ?

IV. *Give in French a short account of the writer's experience with the family upstairs.*

## UN DOMESTIQUE DISCRET

I. *Notice the following expressions:*

| | |
|---|---|
| 1. Il est six heures **du soir.** | It is six o'clock *in the evening.* |
| 2. **Tant pis.** | *Too bad.* |
| 3. Il comprend **ce qu'**on demande de lui. | He understands *what* one demands of him. |
| 4. **A tout à l'heure.** | *Until later* (*see you later*). |
| 5. **A propos.** | *By the way.* |

6. C'est plus beau que l'hôtel de ville **chez nous.** — This is more beautiful than the town hall *at home.*
7. **En homme discret,** je me lève. — *Being a discreet man,* I get up.
8. Vous **venez de** vous couper. — You *just* cut yourself.

II. *Form eight original French sentences, using in each sentence one of the French expressions illustrated above.*

III. *Answer the following questions in complete French sentences:*

1. Que fait René quand le téléphone sonne ?
2. Comment s'appelle la personne qui lui parle ?
3. Que dit-on de la pièce de théâtre ?
4. Avec qui Henri l'invite-t-il à dîner ?
5. Pourquoi tout le monde a-t-il déjà arrangé sa soirée ?
6. D'où vient le nouveau domestique ?
7. Quels vêtements Albert doit-il préparer ?
8. Comment Albert remercie-t-il René ?
9. Où est René à sept heures le lendemain matin ?
10. Quels instruments de toilette Albert prépare-t-il dans la salle de bain ?
11. A quel bâtiment compare-t-il le théâtre ?
12. Que voit-il lorsque le rideau se lève ?
13. Que pense Albert des affaires des autres ?
14. Où va-t-il en quittant le théâtre ?

IV. *Describe in French the following telephone conversation:*

You have two tickets for the theater tonight, so you call up a friend to invite him to take dinner with you and go to the theater afterwards.

V. *Change the following words in two jumps, as indicated. Change only one letter at a time and be sure that each jump results in a good French word.*

EXAMPLE: *Change* (le) mot *to* bon

mot mon bon

*Change in two jumps:*

| | | |
|---|---|---|
| (le) foin | *to* | (le) bois |
| (le) miel | *to* | bien |
| (les) bains | *to* | moins |
| manger | *to* | danser |

*Change in three jumps:*

(la) salle *to* quelle (*fem. sing. form of* quel)

*Change in five jumps:*

bas *to* (le) sud

## JEANNINE

I. *Notice the following expressions:*

| | |
|---|---|
| 1. **En effet;** elle est très charmante. | *Indeed* (*to be sure*); she is very charming. |
| 2. **Tout le monde** en parle. | *Everybody* is speaking of it. |
| 3. Les pieds **me font mal.** | My feet *hurt me.* |
| 4. J'**en** ai **assez.** | I have *enough.* |
| 5. **Il me faut** quelques minutes. | *I need* a few minutes. |
| 6. Je danse **toujours.** | I am *still* dancing. |
| 7. J'ose **à peine** la regarder. | I *hardly* dare to look at her. |
| 8. **C'est tout ce que** vous avez à me dire ? | *Is that all* you have to tell me ? |
| 9. J'ai **bien des** choses à vous dire. | I have *a great many* things to tell you. |
| 10. Je le **connais depuis** des années. | I *have known* him *for* years. |
| 11. Je **pense à** quelque chose. | I *am thinking of* something. |
| 12. Il **fait** si **chaud.** | It *is* so *hot.* |
| 13. Comment **allez-vous?** | How *are you?* |
| 14. Il **pose une question.** | He *asks a question.* |
| 15. Nous allons **chez le bijoutier.** | We go *to the jeweler's.* |

II. *Form fifteen original French sentences, using in each sentence one of the French expressions illustrated above.*

III. *Answer the following questions in complete French sentences:*

1. Décrivez les cheveux et les yeux de Jeannine.
2. Où l'a-t-il rencontrée ?
3. Qui est Éliane ?
4. Quelle robe porte Jeannine ?
5. Qui est Jacques Norbert ?
6. Qu'est-ce qui exaspère Denis ?
7. Comment se sent-il lorsqu'Éliane s'éloigne ?
8. Quelles choses Denis aurait-il à dire à Jeannine ?
9. Comment est l'air dans le jardin ?
10. Qu'est-ce qui attire Denis vers la salle de bal ?
11. Où s'assied-il avec Jeannine ?
12. Comment le regarde-t-elle ?
13. Que balbutie-t-il ?
14. Qu'est-ce qui l'arrête ?
15. Que dit Jacques Norbert ?
16. Comment Denis veut-il partir ?
17. Quelle exposition visite-t-il ?
18. Que représente la nature morte ?
19. Que fait-il dans son embarras ?
20. À quelle condition peut-elle lui pardonner ?
21. Avec qui Éliane est-elle mariée ?
22. Qu'arrive-t-il à six heures du soir ?
23. Décrivez la bague et dites qui l'a choisie.

IV. *Complete the following sentences:*

1. C'est au bal que j'ai . . . .
2. Au bal il y a . . . .
3. Avec Éliane on n'a pas besoin . . . .
4. Elle ne vous laisse pas le temps de . . . .
5. Tout le monde . . . .
6. Nous continuons de . . . .
7. Mon esprit est absorbé par . . . .

8. Parmi tant de jeunes filles elle . . . .
9. Elle s'éloigne au bras de son . . . .
10. Il me faut . . . .
11. Elle me regarde de . . . .
12. J'ose à peine . . . .
13. C'est tout ce que vous avez à . . . .
14. J'aurais bien des choses à vous . . . .
15. Je sors dans . . . .

V. *Define each of the following expressions in a complete French sentence:*

1. les boutiques. 2. le marchand. 3. un gardien. 4. le propriétaire. 5. un policier. 6. un écrivain. 7. le savant. 8. une exposition de peinture. 9. le bijoutier.

## LE COCHON DE CARCASSONNE

I. *Form thirty-one French sentences, using in each sentence one of the French expressions listed below:*

1. la plupart de
2. en effet
3. de telle sorte que
4. ne . . . ni . . . ni . . .
5. au commencement
6. bientôt
7. il fallait
8. il y avait
9. au bout de
10. de plus en plus
11. à travers
12. en train de
13. tout le monde
14. arriver en courant
15. sans doute
16. avoir très faim
17. personne . . . ne
18. ceux-ci
19. voici ce que
20. du haut de
21. tant de
22. à plus tard
23. tout le peuple
24. d'abord
25. en tête de ceux-ci
26. ce matin-là
27. traverser à la nage
28. un coup d'œil
29. ils doivent
30. plus ou moins
31. entrer dans

II. *Answer the following questions in complete French sentences:*

1. Contre qui le roi de France était-il en guerre ?
2. Que voit-on encore de nos jours autour de Carcassonne ?
3. Qu'est-ce que les défenseurs de Carcassonne versaient sur les assaillants ?
4. Comment l'armée du roi de France allait-elle les prendre ?
5. Où débouchaient les souterrains creusés sous la ville ?
6. Que faisaient les femmes et les enfants ?
7. De quelle nourriture devait-on se contenter ?
8. Quel bruit les enfants entendirent-ils sortir d'une maison misérable ?
9. De quoi était armée la vieille ?
10. Que tirait-elle par la queue ?
11. Que faisait le cochon ?
12. Comment les troupes ennemies préparaient-elles un nouvel assaut ?
13. Quelle fut la proposition de la jeune femme Alliette ?
14. Que décida le chef ?
15. Que pensa Simon de Montfort ?
16. Comment les habitants de Carcassonne quittèrent-ils leur ville ?
17. Comment les deux envoyés de Simon de Montfort s'approchèrent-ils de la ville ?
18. Que dirent-ils en revenant au camp ?
19. Que cria Simon de Montfort ?
20. Comment était Carcassonne ?

III. *Write ten simple and short French sentences about Carcassonne.*

IV. *Give a short French dramatization of the scene at the city council.*

*V. Write a short description in French of the escape from Carcassonne.*

## JEANNE D'ARC A CHINON

I. *Form twenty-eight French sentences, using in each sentence one of the French expressions listed below:*

1. celui-ci
2. ne . . . plus
3. penser à
4. au milieu de
5. se moquer de
6. au long nez
7. tous les jours
8. morceau par morceau
9. ne . . . point
10. avoir peine à
11. fort bien
12. tant de
13. ne . . . que
14. se mettre à rire
15. ce qu'il reste
16. celle-ci
17. en effet
18. tout le monde
19. une vingtaine de personnes
20. sans mot dire
21. au bout d'un instant
22. le voici
23. peut-être
24. prenez garde
25. un homme au visage intelligent
26. ne . . . jamais
27. au bout de la salle
28. à voix basse

II. *Answer the following questions in complete French sentences:*

1. Où était situé le château où montait Jeanne ?
2. Que se disait-elle ?
3. Décrivez le jeune homme dans la salle du château.
4. De quel souci a-t-il bien assez ?
5. Que dit-il à Sire Xaintrailles ?
6. Que lui donne-t-il à revêtir ?
7. Que dit Jeanne à la sentinelle qui l'arrête ?
8. Pourquoi les soldats riaient-ils ?
9. Qu'y avait-il sur les murailles de pierre ?
10. Vers quel groupe Jeanne se dirige-t-elle ?
11. Que dit-elle au roi en tombant à genoux ?
12. Pourquoi un des seigneurs dit-il au roi de prendre garde ?
13. Que répond le roi ?

14. Décrivez l'attitude du roi après que Jeanne lui a parlé à voix basse.
15. Quel est le secret que Jeanne d'Arc a révélé au roi Charles VII ?

III. *Complete the following French sentences:*

1. Jeanne montait — ruelle — conduisait — château.
2. Elle — pensait plus — longues semaines — chevauchée — pénible — milieu — populations hostiles — se moquaient — elle et — sa mission.
3. — viens l'aider — chasser les Anglais.
4. Tous — jours nous renvoyons — fous et — visionnaires — s'imaginent — Dieu — a donné mission — sauver — royaume.
5. — ai assez — soucis — voir — écrouler la France, morceau — morceau, sans avoir — écouter — divagations — ces déments.
6. Elle n'— point l'air —.
7. Ses réponses — pleines — bon sens.
8. Les jeunes seigneurs se mirent — rire.
9. Le messager revint en — que Jeanne d'Arc — attendue — effet.
10. Je — venue, dit-elle, — voir le roi de France.
11. Elle le regarde sans mot —.
12. Devant — jeune homme maigre, — visage intelligent, elle — — genoux.
13. « — garde, Sire, » dit un — seigneurs, « — fille — peut-être — mauvais desseins. »
14. Elle — m'— jamais vu.

## LA REINE

I. *Answer the following questions in complete French sentences:*

1. De quoi parle-t-on toujours au sujet de Louis XIV ?
2. A qui ne pense-t-on jamais ?
3. De qui était-elle la fille ?

4. Où fut-elle mariée à Louis XIV ?
5. Décrivez-la.
6. Que fut la France pour elle ?
7. Que regrettait-elle ?
8. Apprit-elle à parler le français ?
9. Quels étaient les sentiments de Louis XIV pour sa femme ?
10. Pouvait-il lui parler des affaires de l'État ?
11. Pourquoi non ?
12. Comment occupait-il son temps auprès d'elle ?
13. Décrivez le breuvage nouveau qu'elle lui offrait.
14. Comment est fait le chocolat ?
15. Où pousse le cacao ?
16. Que déclarait Madame de Sévigné à propos du chocolat ?
17. A quel âge mourut Marie-Thérèse ?
18. Que déclara le roi ?
19. Pourquoi devons-nous donner une pensée à cette reine ?

II. *Use the following French expressions in complete French sentences:*

1. personne ne pense jamais à. 2. pour la première fois. 3. elle ne fut jamais. 4. auprès de. 5. elle ne se plaisait que. 6. elles étaient venues. 7. elle n'apprit jamais à. 8. toute sa vie. 9. il ne pouvait lui parler ni . . . ni . . . 10. jouer aux cartes. 11. quelquefois. 12. d'abord. 13. plus tard. 14. ils n'aimaient guère. 15. elle n'a jamais fait de peine à.

III. *Answer the following questions in complete French sentences:*

1. Of whom does nobody ever think ?
2. What was this queen's name ?
3. Why did she not speak French very well ?
4. Why could Louis XIV not discuss art or literature with her ?

5. With whom did he spend a few minutes every evening?
6. With whom did the queen play cards every day?

IV. *Change the following words in two jumps as indicated. Change only one letter at a time and be sure that each jump results in a good French word.*

EXAMPLE: *Change* (le) mot *to* bon *in two jumps*
(le) mot mon bon

*Change in two jumps:*

| | | |
|---|---|---|
| un | *to* | et |
| (les) lois | *to* | mais |
| de | *to* | sa |
| pire | *to* | (la) mère |
| vous | *to* | tout |

*Change in three jumps:*

sous *to* (le) toit

*Change in four jumps:*

(la) porte *to* (la) femme

## ANDRÉ LE NÔTRE

I. *Form ten French sentences, using in each sentence one of the French expressions listed below:*

1. faire bâtir un château
2. dans toute la France
3. en face de
4. un peu plus tard
5. être charmé de vous voir si bonne mine
6. aller se ruiner
7. tout à coup
8. en voyant
9. le plus grand roi du monde
10. des larmes dans les yeux

II. *Answer the following questions in complete French sentences:*

1. Quel est le roi de France qui fit bâtir Versailles?
2. Qui choisit-il pour en dessiner les jardins?
3. Où Le Nôtre avait-il déjà dessiné des jardins?
4. Par qui fut-il reçu en Italie?

5. Que dit-il au pape en l'embrassant ?
6. Combien le roi donnait-il à Le Nôtre lorsque les idées de son jardinier lui plaisaient ?
7. Que répondait Le Nôtre ?
8. Comment s'appelait l'architecte du château ?
9. Avec qui le roi était-il assis dans son carosse ?
10. Que dit alors Le Nôtre au roi ?

III. *Describe in French a beautiful garden.*

IV. *According to the text each of the following statements is false. Replace each of the incorrect statements with the correct French sentence:*

1. Louis XV fit bâtir le château de Versailles.
2. Il choisit pour en dessiner les jardins un homme déjà connu pour ce genre de travaux: Mansart.
3. Lorsque Le Nôtre se vit en face du roi, il s'avança, le prit dans ses bras et l'embrassa sur les deux joues.
4. Il dit à la reine, des larmes dans les yeux: « Je voudrais que ma vieille mère ait vécu assez longtemps pour me voir en ce moment. »

## PERRUQUE! PERRUQUE!

I. *Form twenty-two French sentences, using in each sentence one of the French expressions listed below:*

1. autour de
2. en face de
3. il faut
4. en remerciant
5. tout le monde
6. faire une promenade
7. en regardant
8. faites monter
9. tant de
10. faites sortir
11. un petit vieillard chauve aux joues tombantes
12. personne . . . ne
13. tout à coup
14. il venait de lui donner
15. ce qui lui arrivait
16. qui n'en avaient jamais assez
17. de travers
18. à plat ventre
19. plié en deux
20. riait de tout son cœur
21. n'avait besoin que de
22. avoir raison

II. *Answer the following questions in complete French sentences:*

1. Comment commence cette histoire ?
2. Où était assis le roi ?
3. Comment était rangée l'assemblée des seigneurs ?
4. Énumérez-les dans l'ordre.
5. Que faisait le médecin ?
6. Que dit-il au bout d'une minute ?
7. Que prescrit-il ?
8. Que dit le roi ?
9. Qu'est-ce que le roi voit par la fenêtre ?
10. Pourquoi le roi était-il triste ?
11. De quoi Madame de Maintenon avait-elle peur ?
12. Que fit le singe lorsqu'il laissa tomber sa perruque ?
13. Décrivez le roi sans perruque.
14. Comment était la perruque du duc de Bourgogne ?
15. Quel fut le dernier seigneur qui resta sans perruque ?
16. Que faisait le singe ? Que faisait Madame de Maintenon ?
17. Que fit le petit seigneur lorsque Fagon rentra ?
18. Qu'arriva-t-il lorsque le sac d'argent tomba à terre ?
19. Que vit Madame de Maintenon, stupéfaite ?
20. Combien de sacs d'argent le roi fit-il donner à son médecin ?

III. *Complete the following French sentences:*

1. C'— à — cour du — Louis XIV, vers — fin — siècle.
2. Tout — monde regardait — médecin — roi.
3. Allez — mon trésorier vous faire — votre consultation.
4. Il sortit — remerciant le roi.
5. Voulez-vous — une promenade ?
6. Le roi avait — lourds soucis.
7. Elle vivait — la peur — toutes — malades.
8. Personne — osait le regarder.

9. — ce moment, — porte — ouvrit, et le docteur rentra, portant — gros sac plein — écus — argent — le trésorier venait — lui donner.
10. Le docteur se défendit, et tout — coup — sac tomba — terre.
11. Il riait — tout — cœur.
12. Le roi n'— besoin que — être amusé.
13. Vous — raison.
14. Allez — mon trésorier chercher quatre sacs — pièces — argent.

IV. *Using your own words give in French a short résumé of this story.*

V. *Define each of the following expressions in a complete French sentence:*

1. le siècle. 2. un neveu. 3. l'oncle. 4. la tante. 5. une nièce. 6. le cousin. 7. la cousine. 8. le trésorier.

## LOUIS XV ET LA POMME DE TERRE

I. *Form eight French sentences, using in each sentence one of the French expressions listed below:*

1. il faut être
2. il a fait faire
3. c'est grâce à lui
4. au cours de
5. ce qui attira
6. il fit entourer les champs
7. autant de pommes de terre que
8. une omelette aux pommes de terre

II. *Answer the following questions in complete French sentences:*

1. Quelle réputation Louis XV a-t-il laissée ?
2. Quelle était une des qualités de ce mauvais souverain ?
3. Que confectionnait-il dans sa cuisine ?

4. Pourquoi le maréchal de Soubise est-il célèbre ?
5. Quel intérêt Louis XV avait-il pour les jardins ?
6. Nommez les fleurs et les fruits dont il a amélioré la culture.
7. Quel légume a-t-il introduit dans la vie moderne ?
8. Qui a d'abord découvert la pomme de terre ?
9. Pourquoi la culture de la pomme de terre était-elle accueillie avec méfiance ?
10. Nommez l'ingénieur agronome que Louis XV chargea de cultiver la pomme de terre.
11. Quelle fleur porta-t-il à sa boutonnière ?
12. Comment fit-il entourer le champ ?

III. *How did Louis XV attempt to make the potato popular?*

IV. *According to the text the following statements are false. Substitute for each false statement the proper French sentence:*

1. Louis XV était un bon roi.
2. Il n'avait pas de vices.
3. Tout le monde sait que ce bon souverain était un cuisinier de premier ordre.
4. Il distribuait d'excellents bonbons aux dames de la cour qui ne lui plaisaient pas.
5. Soubise a battu les Prussiens.
6. Louis XV fit bâtir Versailles.
7. Il n'a pas fait faire de grands progrès à la culture de certaines fleurs.
8. Les Français avaient découvert la pomme de terre dans l'Amérique du Sud.
9. Parmentier trouva un stratagème.

V. *Answer the following questions in complete French sentences:*

1. What kind of king was Louis XV ?
2. Where had the Spaniards discovered the potato ?

3. Who ordered the fields to be surrounded by soldiers?
4. Why did the people steal as many potatoes as they were able to?
5. Do you like potatoes?

## LE PEINTRE LA TOUR

I. *Form eighteen French sentences, using in each French sentence one of the expressions listed below:*

1. il faut savoir
2. il ne peignait qu'au
3. de la part de
4. la personne la plus importante de
5. un des plus grands peintres de
6. la faire venir à Paris
7. bien des
8. au bout de
9. en riant
10. pendant que
11. tout va bien
12. tout à coup
13. au lieu de
14. de travers
15. à la fin
16. il ne faut pas
17. il n'avait ni . . . ni . . .
18. peut-être

II. *Answer the following questions in complete French sentences:*

1. Comment approchait-on le roi au dix-huitième siècle?
2. Que jugeaient les artistes et les intellectuels?
3. Qui a été La Tour?
4. Avec quelle matière peignait-il?
5. Comment sont les portraits qu'il nous a laissés?
6. Quel était son caractère?
7. Que lui demande-t-on de la part de la Marquise de Pompadour?
8. Quel prix demande-t-il pour le portrait?
9. Quelles conditions pose-t-il pour son travail?
10. Que fait-il après avoir salué la marquise?
11. Où accroche-t-il sa perruque?
12. Que met-il sur sa tête?

13. Comment pose Madame de Pompadour ?
14. Quelle est la personne qui entre par la petite porte ?
15. Que dit La Tour lorsque le roi entre ?
16. Que fait-il ?
17. Que dit le roi pour le retenir ?
18. Qu'explique le peintre au roi ?
19. A quoi était due la tolérance de Louis XV ?
20. Quelle est la parole célèbre qu'il prononça ?

III. *Write in French a few sentences about (a) La Tour, (b) Louis XV.*

## UN RÊVE DE LOUIS XV

I. *Form twelve French sentences, using in each sentence one of the French expressions listed below:*

1. cette nuit
2. cela se peut
3. il y en avait
4. penser de
5. penser à
6. voilà ce que
7. aux dépens de
8. rire de bon cœur
9. à l'avance
10. avoir raison
11. aller bien mal
12. tout de suite

II. *Answer the following questions in complete French sentences:*

1. Comment le roi a-t-il dormi ?
2. De quoi a-t-il rêvé ?
3. A quoi doit s'attendre qui rêve de chats ?
4. Que faisaient ces chats ?
5. Combien y en avait-il ?
6. Décrivez-les.
7. Que faisait Joseph ?
8. Qu'est-ce que le chat maigre ?
9. Et le chat gras ?
10. Et le chat borgne ?
11. Le valet explique-t-il tout de suite ce qu'est le chat aveugle ?

12. Qui est le chat aveugle ?
13. Que dit le roi à la fin ?

III. *Complete the following French sentences:*

1. Louis XV — réveille — jour — une mauvaise —.
2. Pendant — son valet — chambre — habille, il — dit.
3. Un roi — a pas besoin — rêver de chats — s'attendre à — trahisons.
4. Il — — avait quatre.
5. — penses-tu — mon rêve ?
6. Il pense — chats.
7. — s'engraissent — dépens — chat maigre.
8. — rit — bon cœur.
9. Dis — que — penses, je te — pardonne — l'avance.
10. Nous — raison.

## VOLTAIRE A SANS-SOUCI

I. *Form twenty-two French sentences, using in each sentence one of the French expressions listed below:*

1. en général
2. entre autres
3. cela ne veut pas dire que
4. de sorte que
5. sans danger
6. rendre visite
7. aussi dangereux que
8. au début
9. faire des promenades
10. jouer de la flûte
11. ce qui est
12. il devait être
13. dans tout ce qu'il faisait
14. peu à peu
15. aussi bien que
16. entrer dans une belle colère
17. au moment où
18. à haute voix
19. avoir beau protester
20. chez lui
21. chaque fois que
22. de plus en plus

II. *Answer the following questions in complete French sentences:*

1. A quelle époque vivait Voltaire ?
2. Quelle liberté a-t-il demandée toute sa vie ?

3. Où a-t-il été mis en prison ?
4. Comment passait-on ses écrits ?
5. Quel souverain étranger le tenait-il en haute estime ?
6. Où l'invita-t-il à venir lui rendre visite ?
7. Voltaire accepta-t-il tout de suite ?
8. Pourquoi hésitait-il ?
9. Comment Frédéric II comblait-il Voltaire ?
10. Quel billet lui envoya-t-il ?
11. Comment Voltaire répondit-il ?
12. Quel instrument Frédéric II jouait-il ?
13. Que composait-il ?
14. Que pensait le roi si Voltaire lui signalait des fautes ?
15. Qu'est-ce que des gens zélés rapportèrent au roi ?
16. Pourquoi Voltaire quitta-t-il Sans-Souci ?
17. Qu'emporta-t-il dans sa malle ?
18. Qu'est-ce que le courrier du roi réclamait ?
19. Voltaire a-t-il pardonné à Frédéric ?
20. Dans quel château a-t-il passé le reste de sa vie ?

III. *How many French words can you form using only letters contained in* **désagréable?** (*Time limit 5 minutes*)

IV. *Write in French a few sentences about* (*a*) *Voltaire,* (*b*) *Frédéric II.*

## ÉCRIT SUR LA POUSSIÈRE

I. *Form six French sentences, using in each sentence one of the French expressions listed below:*

1. ne . . . plus guère
2. à présent
3. avant de
4. s'en aller
5. avant de partir
6. il écrit du doigt

II. *Answer the following questions in complete French sentences:*

1. A quelle époque vivait Piron ?
2. Quelle réputation a-t-il laissée ?

3. Quels étaient ses défauts ?
4. Qu'aperçoit le visiteur en l'attendant ?
5. Qu'écrit-il du doigt avant de s'en aller ?
6. Où rencontre-t-il Piron le lendemain ?
7. Que lui dit-il ?
8. Que répond Piron ?

III. *Complete the following French sentences:*

1. On — lit plus guère — présent — livres — Piron.
2. Il était connu — ses amis — un vrai bohème.
3. — jour, un — ses amis, passant — — rue où — habitait, monte pour — rendre —.
4. Il décide — s'— aller, mais — de partir — écrit — doigt dans — poussière — ternit — bureau — l'écrivain — mot: cochon.
5. Je — monté — vous hier, mais je — ai pas eu — plaisir — vous trouver — la maison.

## LES SAUCISSES DE NAPOLÉON

I. *Form twenty-seven French sentences, using in each sentence one of the French expressions listed below:*

1. au printemps
2. faire ses comptes
3. il venait de manger
4. avoir faim
5. faire chaud
6. avoir besoin
7. quant à moi
8. en se regardant
9. presque tout ce qui
10. ne . . . que
11. ne . . . guère
12. beaucoup de
13. au moment où
14. tout à l'heure
15. à l'idée du
16. se porter bien
17. à propos de
18. par mois
19. il faut que
20. avoir l'air de
21. ne . . . plus
22. c'est plaisir de
23. s'intéresser à
24. ne . . . jamais
25. s'approcher de
26. avoir vingt ans
27. avoir raison

II. *Answer the following questions in complete French sentences:*

1. Où était assis le jeune sous-lieutenant ?
2. Que faisait-il ?
3. Combien donnait-il à sa mère ?
4. Pourquoi ses sœurs n'avaient-elles pas besoin de souliers ?
5. Quelles culottes aura Jérôme ?
6. Quel effet lui fait le mot de nourriture ?
7. Quelle image vit-il dans le miroir ?
8. Qui était le soutien de la famille ?
9. Pourquoi mangeait-il du pain rassis ?
10. Quel menu allait-il commander au petit restaurant ?
11. Que lui dit l'aubergiste ?
12. Comment sa mère commençait-elle sa lettre ?
13. Que disait le curé ?
14. Décrivez la cheminée du restaurant.
15. Que commanda-t-il ?
16. Comment mangea-t-il les dernières gouttes de sauce ?
17. De quoi discute le prince de Talleyrand ?
18. Comment mange l'empereur ?
19. Que dit le chef cuisinier, indigné ?
20. Quels sont les condiments qui manquaient au plat du chef ?

III. *According to the text each of the following statements is wrong. Replace each false statement with the correct French sentence:*

1. Napoléon n'avait ni sœurs ni frères.
2. Sa mère profita du voyage à Paris de son père pour lui envoyer de l'argent.
3. Napoléon n'a pas l'intention d'envoyer son frère au collège.
4. Le curé consent à donner des leçons à trois écus par mois.
5. Napoléon s'intéresse aux plaisirs de la table.

IV. *Complete the following French sentences:*

1. — était — printemps.
2. — venait — toucher sa solde.
3. Il — faim.
4. Il — chaud à Ajaccio.
5. Ses sœurs n'— pas besoin — souliers.
6. Depuis plus — une semaine il — avait mangé que — pain.
7. Le petit restaurant était — coin — — rue.
8. On — apporté cette lettre tout — l'—.
9. Il — mit — lire.
10. — fallait renoncer — rôti juteux.
11. Vous — l'air — les trouver très —, nos saucisses.
12. — — ai plus faim.
13. Le chef — mit — — œuvre.
14. Ce — on m'a servi était insipide.
15. Talleyrand — approche — lui.
16. Aucune comparaison — le plat délicieux — — me régalais — j'— vingt ans.

## LE ROI ET LA POIRE

I. *Form twelve French sentences, using in each sentence one of the French expressions listed below:*

1. avoir soixante ans
2. ils s'amusèrent à
3. de manière assez originale
4. il fit d'abord passer
5. ressembler à
6. je viens de vous montrer
7. il faut
8. en silence
9. jusqu'à ce que
10. sortant de sa poche
11. là-dessus
12. c'est-à-dire

II. *Answer the following questions in complete French sentences:*

1. When was Louis-Philippe elected king of the French?
2. Why was his face not handsome?
3. What temptation was too strong for many artists?
4. Why was one artist prosecuted?
5. In what manner did he defend himself?

III. *Describe in a few short sentences (a) Louis-Philippe, (b) the artist's defense in court.*

IV. *How many French words can you form using only letters contained in* **les particularités?** (*Time limit 5 minutes*)

V. *Rearrange the following words so as to form a French sentence:*

avait joues tombantes au par favoris il élargies des bas lourdes des et

VI. *According to the text each of the following statements is false. Replace each incorrect statement with the correct French sentence:*

1. Louis-Philippe d'Orléans fut élu en 1730 roi des Français.
2. Il était très jeune en 1830.
3. Il acceptait ces piqûres d'épingles avec mauvaise humeur.
4. Victor Hugo vit trois petits gamins qui dessinaient sur le mur du palais des Tuileries une énorme pomme.
5. Victor Hugo leur donna trois pièces de monnaie.

VII. *Form ten complete French questions based upon « Le Roi et la Poire. »*

## ANECDOTES SUR ALEXANDRE DUMAS PÈRE

I. *Form sixteen French sentences, using in each sentence one of the French expressions listed below:*

1. toute la jeunesse américaine
2. tant d'autres romans d'aventures
3. de crainte de
4. au cours de
5. il avait fait mourir
6. un jour
7. qu'y a-t-il ?
8. il n'avait aucun
9. il était aussi généreux que
10. ce qu'il te faut
11. en sortant
12. à propos
13. la porte par où
14. elle ne savait guère
15. elle était arrivée à
16. un soir

II. *Answer the following questions in complete French sentences:*

1. Who is the author of many French novels of adventure?
2. What is his most famous novel?
3. How did Alexandre Dumas write his novels?
4. Where did he keep a set of puppets?
5. Whom did each puppet represent?
6. What did Alexandre Dumas do after he caused one of his heroes or heroines to die?
7. Who came one day to see him?
8. Whose eyes were full of tears?
9. Whom had Alexandre Dumas caused to die?
10. In what famous novel does Porthos appear?

III. *Complete the following French sentences:*

1. Il avait un fils qui porta . . . .
2. Cet argent n'y restait . . . .
3. Je voudrais inviter des amis . . . .
4. Le père se tourna vers un ami et dit avec émotion en montrant la porte par . . . .
5. Son fils lui avait laissé . . . .

IV. *Change the following words in two jumps as indicated. Change only one letter at a time and be sure that each jump results in a good French word.*

EXAMPLE: *Change* (le) mot *to* bon.
(le) mot mon bon

*Change in two jumps:*

| | | |
|---|---|---|
| (la) maison | *to* | (le) raisin |
| (la) pompe | *to* | (l') homme |
| libre | *to* | vivre |
| (le) lapin | *to* | (le) matin |

*Change in three jumps:*

| | | |
|---|---|---|
| (le) pain | *to* | (le) mois |
| quelle | *to* | (la) salle |

V. *Form twelve complete French questions based upon « Anecdotes sur Alexandre Dumas père.»*

## L'OR SUR LA ROUTE

I. *Form twenty French sentences, using in each sentence one of the French expressions listed below:*

1. au moment de
2. ce dernier
3. il était devenu
4. à la fois
5. à vingt-six ans
6. il avait décidé de
7. assister à
8. ce devait être
9. à travers
10. peu de temps avant de
11. il fallait monter
12. ils montèrent à pied
13. tandis que
14. tout à coup
15. en poussant une exclamation
16. quelques pas plus loin
17. à son tour
18. à partir de ce moment
19. au moment où
20. à l'arrière

II. *Answer the following questions in complete French sentences:*

1. Who was Victor Hugo's admirer and protector?
2. Why did Victor Hugo decide to go to Reims?
3. Who went with him?
4. What did the two young men hire?
5. Why did they get out of the carriage?
6. What did they find every twenty or thirty meters?
7. What did Victor Hugo say?
8. Was Victor Hugo right?
9. Whose money was it?

III. *Rearrange the following letters so as to form French words:*

1. (le) mmnteo
2. (le) èerrf
3. (la) treou
4. (il) ttaié
5. (il) aidtve
6. ntvig

IV. *Separate the following letters into French words, forming a complete French sentence:*

Lar out eàt rave rsl esc ampa gnesr i ant esé tai tagréa bleà parc ou rir

## Mots Croisés [1]

Par Robin Abraham, Form IV

| | | | | | | | | | | |
|---|---|---|---|---|---|---|---|---|---|---|
| 1. | | 2. | | 3. | ■ | 4. | | 5. | | 6. |
| | ■ | | ■ | 7. | | | ■ | | ■ | |
| 8. | 9. | | | | ■ | 10. | | | 11. | |
| 12. | | | ■ | ■ | 13. | ■ | ■ | 14. | | |
| 15. | | | 16. | ■ | | ■ | 17. | | | |
| ■ | | ■ | 18. | | | | | ■ | | ■ |
| 19. | ■ | 20. | | ■ | | ■ | 21. | | ■ | 22. |
| 23. | 24. | ■ | 25. | | | 26. | | ■ | 27. | |
| 28. | | | | | ■ | 29. | | | | |
| 30. | | ■ | ■ | ■ | 31. | ■ | ■ | ■ | 32. | |
| 33. | | | ■ | 34. | | | ■ | 35. | | |

### Across

1. To go
4. Full
7. One
8. Uncle
10. Custom
12. Street
14. Lake
15. God
17. Father
18. Our
20. Neither
21. If
23. He
25. Composition
27. That
28. To help
29. Stop
30. Negative
32. Here
33. Yes
34. Bad
35. End

### Down

1. Access, approach
2. High school
3. Street
4. Little, few
5. Equal
6. Niece
9. Night
11. Station
13. Other
16. Unity
17. To weigh
19. Musical instrument
22. Morning
24. Place
26. My
27. This
31. Her

[1] Courtesy of *The Linguist*, Horace Mann School for Boys

# *Vocabulaire*

A

**à**, to, at, for, with, in, on, of, until
il **a** (**avoir**), he has; **a-t-il?** has he, has it; **il y a**, there is, there are
l'**abîme**, *m.*, abyss
il **aboie** (**aboyer**), he barks
**abord: d'abord**, first, at first
**aborder**, to go up to, accost, speak to, address
**aboyer**, to bark
l'**abri**, *m.*, shelter; **mettre à l'abri**, to keep in a safe place
l'**abricot**, *m.*, apricot
l'**abricotier**, *m.*, apricot tree
**abriter**, to shelter
l'**absence**, *f.*, absence
s'**absenter**, to go away
**absolu, –e**, absolute
**absolument**, absolutely
**absorbé, –e**, absorbed
**absorber**, to absorb
**accabler**, to overwhelm
l'**accent**, *m.*, accent
**accepter**, to accept
l'**accès**, *m.*, attack, fit, spell
l'**accident**, *m.*, accident
**acclimater**, to accustom to a new climate, acclimatize
**accorder**, to strum, grant
**accourir**, to run up
il **accourt** (**accourir**), he runs up, is running up, does run up
**accroché, –e**, hooked
**accrocher**, to hook, hang, hang up
**accroupi, –e**, squatting
s'**accroupir**, to crouch
**accru, –e** (**accroître**), gained, increased; **il s'était accru**, it had gained
il **accueille** (**accueillir**), he welcomes, is welcoming, does welcome
**accueilli, –e** (**accueillir**), welcomed

**accueillir**, to welcome
**accuser**, to accuse
il **achète** (**acheter**), he buys, is buying, does buy
ils **achètent** (**acheter**), they buy, are buying, do buy
**acheter**, to buy
l'**acheteur**, *m.*, buyer
**acquiescer**, to consent; **acquiescer de la tête**, to nod in consent
**acquitté**, –**e**, acquitted
l'**acte**, *m.*, act
l'**activité**, *f.*, exercise, activity
**actuel**, **actuelle**, present
il **admet** (**admettre**), he admits, is admitting, does admit, confesses, is confessing, does confess
**admettre**, to admit, confess
**admirable**, admirable, wonderful
l'**admirateur**, *m.*, admirer
l'**admiration**, *f.*, admiration
**admirer**, to admire
**admis**, –**e** (**admettre**), admitted
**adorable**, adorable
l'**adresse**, *f.*, address
s'**adresser** (**à**), to address oneself (to)
l'**affaire**, *f.*, affair, matter, business; **l'affaire est faite**, it's a deal; **leurs petites affaires**, their private affairs
**affamé**, –**e**, hungry
l'**affection**, *f.*, affection
**affectueux**, **affectueuse**, affectionate
l'**affiche**, *f.*, placard, bill, notice
**affolé**, –**e**, distraught
**affreux**, **affreuse**, terrible
**afin que**, in order that, so that
l'**âge**, *m.*, age; **d'un certain âge**, elderly, middle-aged
l'**agent**, *m.*, agent; **agent de police**, policeman; **monsieur l'agent**, officer
**agile**, deft
**agir**, to act
l'**agrafe**, *f.*, hook
**agréable**, pleasant
**agréablement**, pleasantly
**agressif**, **agressive**, aggressive
**agronome**, agronomical; **l'ingénieur agronome**, agricultural expert
j'ai (**avoir**), I have; **j'ai été**, I was, I have been
l'**aide**, *m.*, helper
l'**aide**, *f.*, help
**aider**, to help
ils **aient** (**avoir**), they may have
les **aïeux**, *m. pl.*, ancestors
**aigu**, **aiguë**, shrill, piercing
l'**aiguille**, *f.*, needle, hand (of a clock)
**aimablement**, kindly
**aimer**, to like, love; **aimer mieux**, to prefer
**ainsi**, thus, so, therefore; **ainsi de suite**, and so forth
l'**air**, *m.*, air, manner, aria, appearance; **avoir l'air de**, to seem, look as if, pretend to; **avoir l'air pressé**, to seem to be in a hurry
l'**aise**, *f.*, ease; **à votre aise**, as you please, suit yourself; **se mettre à son aise**, to make oneself comfortable
il **ait** (**avoir**), he had, might have, may have
**ajouter**, to add
**ajuster**, to adjust
l'**aliment**, *m.*, food
l'**alimentation**, *f.*, food
ils **allaient** (**aller**), they used to go, were going (to), went

j'**allais** (**aller**), I used to go, was going (to), went
il **allait** (**aller**), he used to go, was going (to), went
l'**allée**, *f.*, lane, walk
**allemand**, **-e**, German
**aller**, to go; **aller bien mal**, to go very badly, feel very bad; **comment allez-vous?** how are you?
s'**en aller**, to go away
vous **allez** (**aller**), you go, are going, do go
**allez!** (**aller**), go!
**allô**, hello
**allons!** (**aller**), come! let's go! go ahead! **allons donc!** come now!
nous **allons** (**aller**), we go, are going, do go
s'**allumer**, to light, light up
**alors**, then, well, so, therefore
l'**aloyau**, *m.*, sirloin; **taillé à l'aloyau**, cut from the sirloin
l'**Alsace**, *f.*, Alsace
l'**Alsacien**, *m.*, Alsatian
l'**Alsacienne**, *f.*, Alsatian (woman)
l'**amande**, *f.*, kernel, bean
l'**amateur**, *m.*, fancier, amateur; **amateur de chiens**, dog fancier
l'**ambition**, *f.*, ambition
**ambulant**, **-e**, walking, strolling, wandering
l'**âme**, *f.*, soul
**améliorer**, to improve
l'**Américain**, *m.*, American
**américain**, **-e**, American
l'**Amérique**, *f.*, America; **l'Amérique Centrale**, Central America; **l'Amérique du Sud**, South America
l'**ami**, *m.*, friend; **ami d'enfance**, childhood friend
**amical**, **-e**, friendly
l'**amitié**, *f.*, friendship
l'**amour**, *m.*, love
l'**amoureux**, *m.*, lover
**amusant**, **-e**, amusing
**amusé**, **-e**, amused
**amuser**, to amuse; **s'amuser** (**à**), to amuse oneself (by), be amused, enjoy, enjoy oneself
l'**an**, *m.*, year; **avoir . . . ans**, to be . . . years old; **tous les ans**, every year
l'**anecdote**, *f.*, anecdote
les **Anglais**, *m. pl.*, English
l'**angle**, *m.*, angle
l'**Angleterre**, *f.*, England
l'**animal**, *m.*, animal; **animal favori**, pet
l'**année**, *f.*, year
l'**annonce**, *f.*, announcement
**annoncer**, to announce, advertise
les **Antilles**, *m. pl.*, the Antilles (West Indies)
l'**antiquaire**, *m.*, antiquarian
l'**antiquité**, *f.*, antiquity
l'**anxiété**, *f.*, anxiety
**apercevant** (**apercevoir**), noticing; **en apercevant**, upon noticing
**apercevoir**, to see, notice; **s'apercevoir** (**de**), to see, notice
j'**aperçois** (**apercevoir**), I see, notice
il **aperçoit** (**apercevoir**), he notices, observes, does notice
**aperçu**, **-e** (**apercevoir**), noticed
ils **aperçurent** (**apercevoir**), they noticed, saw
il **apparaissait** (**apparaître**), he used to appear, was appearing, appeared
il **apparaît** (**apparaître**), he appears
**apparaître**, to appear

l'**appareil,** *m.*, instrument, (telephone) receiver
l'**apparition,** *f.*, appearance, apparition
l'**appartement,** *m.*, apartment, room
**appartenant, –e** (**appartenir**), belonging
**appartenir,** to belong
il **appartient** (**à**) (**appartenir**), he belongs (to), does belong (to)
l'**appel,** *m.*, call
**appeler,** to call; **s'appeler,** to be called
il **appelle** (**appeler**), he calls; **comment s'appelle?** what is the name of?
tu **appelles** (**appeler**), you do call
**appétissant, –e,** appetizing
l'**appétit,** *m.*, appetite
**applaudir,** to applaud
**appliquer** (**à**), to place (against)
**apporter,** to take, bring, carry
**apprécier,** to appreciate
**apprendre,** to learn
il **apprit** (**apprendre**), he learned, did learn
**approcher,** to bring near, draw near; **s'approcher** (**de**), to approach, come near
**après,** after; **après l'avoir saluée,** after greeting her; **d'après,** according to; **après que,** after
l'**aquarium,** *m.*, aquarium
l'**arbre,** *m.*, tree
l'**arc,** *m.*, arch, bow
l'**archer,** *m.*, archer
l'**architecte,** *m.*, architect
**Arcole,** town in Italy, where Napoleon defeated the Austrians, November 17, 1796
l'**ardoise,** *f.*, slate
l'**arête,** *f.*, (fish)bone
l'**argent,** *m.*, money, silver
l'**arme,** *f.*, firearm, gun, weapon
**armé, –e,** armed
l'**armée,** *f.*, army
**armer,** to arm
**arracher,** to tear off, snatch; **s'arracher les cheveux,** to tear one's hair
**arranger,** to arrange
l'**arrêt,** *m.*, stop; **sans arrêt,** without stopping
**arrêter,** to arrest, stop; **s'arrêter,** to stop; **elle s'arrête de coudre,** she stops sewing
l'**arrière,** *m.*, rear; **en arrière,** back; **à l'arrière,** in the rear, behind, at the back
l'**arrière-garde,** *f.*, rear guard
l'**arrivée,** *f.*, arrival
**arriver** (**à**), to come to, arrive (at), reach, manage to, happen (to); **que va-t-il arriver?** what is going to happen? **il arrive,** it happens; **arriver en courant,** to come running
l'**art,** *m.*, art; **avec art,** artfully, skillfully
l'**article,** *m.*, article
**artificiel, artificielle,** artificial
l'**artillerie,** *f.*, artillery
l'**artiste,** *m.*, artist
**artistique,** artistic
tu **as** (**avoir**), you have
l'**ascenseur,** *m.*, elevator
l'**ascension,** *f.*, climb
l'**aspect,** *m.*, appearance
l'**assaillant,** *m.*, assailant
l'**assaut,** *m.*, attack
l'**assemblée,** *f.*, assembly
s'**asseoir,** to sit down
nous nous **asseyons** (**s'asseoir**), we sit down
**assez,** quite, rather, enough
il s'**assied** (**s'asseoir**), he sits down

**assieds-toi!** (**s'asseoir**), sit down!
**assis, –e** (**s'asseoir**), seated, sitting (down)
l'**assistance,** *f.*, help
**assister** (**à**), to be present (at), attend
il s'**assit** (**s'asseoir**), he sat down
l'**associé,** *m.*, partner
ils s'**assoient** (**s'asseoir**), they sit down
**assorti, –e,** assorted, mated, matched
s'**assurer,** to ascertain, assure oneself
l'**atmosphère,** *f.*, atmosphere
l'**âtre,** *m.*, hearth
**attacher,** to tie up, fasten; **s'attacher à,** to be connected with, apply oneself to, interest oneself in
l'**attaque,** *f.*, attack, assault; **l'attaque par surprise,** surprise attack
**attaquer,** to attack; **s'attaquer** (**à**), to attack
s'**attarder,** to be late, be slow, loiter
ils **atteignaient** (**atteindre**), they used to reach, were reaching, reached
**atteindre,** to reach, attain
**attendre** (**à**), to wait, wait for, await, expect; **s'attendre** (**à**), to expect
l'**attention,** *f.*, attention; **attention!** look out! **faire attention,** to pay attention
**attentivement,** intently, attentively; **très attentivement,** very intently
**attirer,** to attract, draw
**attraper,** to catch
s'**attrouper,** to gather together, come up
**au = a + le,** at the, to the
l'**auberge,** *f.*, inn
l'**aubergiste,** *m.*, innkeeper
**aucun, –e,** no, not any, any, none
**aucunement,** none whatever
l'**audace,** *f.*, daring, boldness
**au-delà** (**de**), beyond
**au-dessous** (**de**), under, beneath, below
**au-dessus** (**de**), above, beyond
**aujourd'hui,** today
**auprès** (**de**), to, with, near
il **aura** (**avoir**), he will have
j'**aurai** (**avoir**), I shall have
ils **auraient** (**avoir**), they would have, should have
j'**aurais** (**avoir**), I would have, should have
il **aurait** (**avoir**), he would have, should have
vous **aurez** (**avoir**), you will have
nous **aurons** (**avoir**), we shall have
ils **auront** (**avoir**), they will have
**aussi,** as, so, also, thus, therefore, just as, too; **aussi . . . que,** as . . . as
**aussitôt,** at once
**autant,** so much, as much, that much; **autant** (**de**) **. . . que,** as many . . . as; **d'autant plus que,** all the more because
l'**auteur,** *m.*, author
l'**automne,** *m.*, autumn
**autoritaire,** authoritative
**autour** (**de**), around, over
**autre,** other; **un(e) autre,** another; **d'autres,** others; **nous autres,** we; **ne . . . rien d'autre,** nothing else
l'**Auvergnat,** *m.*, man from Auvergne
**aux = a + les,** to the, at the, for the

ils **avaient (avoir)**, they used to have, were having, had

j'**avais (avoir)**, I used to have, was having, had; **j'avais vingt ans,** I was twenty years old

il **avait (avoir)**, he used to have, was having, had, did have; **il y avait,** there were, there was

**avance: à l'avance,** in advance

**avancer,** to advance; **s'avancer,** to advance, come forward, go forward

**avant,** before, in front, farther; **en avant,** forward, ahead, on their way; **avant de partir,** before leaving; **avant que,** before

l'**avant-propos,** *m.*, preface

**avec,** with

l'**aventure,** *f.*, adventure

l'**avertisseur,** *m.*, adviser; **avertisseur d'incendie,** fire alarm

**avertir,** to warn

**aveugle,** blind

vous **avez (avoir)**, you have

l'**avis,** *m.*, opinion, judgment; **je suis de ton avis,** I agree with you; **à mon avis,** in my opinion; **c'est bien mon avis,** I think so too

**avoir,** to have; **avoir . . . à,** to have . . . to; **avoir l'air de,** to seem, appear, look as if, pretend; **avoir . . . ans,** to be . . . years old; **avoir beau,** to do something in vain; **avoir faim,** to be hungry; **avoir raison,** to be right; **qu'y a-t-il?** what's the matter?

nous **avons (avoir)**, we have

**avouer,** to confess, admit

**ayant (avoir)**, having

## B

les **bagages,** *m. pl.*, baggage

la **bague,** ring

**baigner,** to bathe

le **bain,** bath; **la salle de bain,** bathroom

les **bains,** *m. pl.*, bathroom

se **baisser,** to lower, go down

le **baisser,** lowering; **le baisser du rideau,** the lowering of the curtain

le **bal,** ball, dance

**balbutier,** to stammer

la **balle,** ball

**banal, -e,** banal, commonplace

le **banc,** bench

la **bande,** band

la **banque,** bank

la **banquette,** bench

**barbare,** barbarous

le **baron,** baron

la **barrière,** barrier

le **bas,** bottom

**basque,** Basque

la **Bastille,** famous prison in Paris, destroyed by the Paris mob at the beginning of the French Revolution, on July 14, 1789

la **bataille,** battle

le **bâtiment,** building

**bâtir,** to build

le **battement,** beat, beating

**battre,** to beat; **se battre,** to fight

**bavarder,** to chatter, chat, gossip

**Bayonne,** city in the department of the Basses-Pyrénées

**beau, bel, belle, beaux,** beautiful, handsome, lovely, fine; **avoir beau,** to do in vain; **il**

**avait beau protester,** he protested in vain
**beaucoup,** many, much, a great deal, very much, greatly
le **beau-frère,** brother-in-law
la **beauté,** beauty
la **bêche,** spade
**bel,** *see* **beau**
le **bélier,** battering-ram
la **belladone,** deadly nightshade
**belle,** *see* **beau; la belle,** pretty one
**bénir,** to bless
la **berge,** river bank
la **besogne,** work, job
**besoin: avoir besoin de,** to need
la **bête,** beast, animal
la **bibliothèque,** library
la **bicyclette,** bicycle
**bien,** well, of course, very much, surely, correctly, very well, all right, certainly, nice, very, quite; **très bien,** very well; **eh bien,** well; **bien des,** many; **fort bien,** very well
**bien que,** although
**bientôt,** soon
le **bijou,** jewel
le **bijoutier,** jeweler
le **billet,** note, ticket; **billet de théâtre,** theater ticket
le **blaireau,** shaving brush
**blanc, blanche,** white
**blesser,** to wound
**bleu, -e,** blue
**blond, -e,** blond
le **bohème,** Bohemian
**boire,** to drink
le **bois,** wood; **de bois,** wooden
la **boiserie,** woodwork
il **boit (boire),** he drinks, does drink, is drinking
la **boîte,** box
**bon, bonne,** good, kind
le **bonbon,** candy
le **bond,** leap
**bonjour,** good day, good morning
la **bonté,** goodness, kindness
le **bord,** edge, border, shore, side
**borgne,** one-eyed
le **boucher,** butcher
**boucher,** to stop up; **se boucher les oreilles,** to put one's fingers in one's ears
la **boucherie,** meat market
la **boucle,** curl
**bouclé, -e,** curly
la **bouclette,** little curl, ringlet
**bouger,** to move, stir
**bouillant, -e,** boiling
le **bouquet,** bouquet
le **bourgeois,** citizen
la **Bourgogne,** Burgundy
le **bout,** end; **au bout de,** after, at the end of, at the back of
la **boutique,** store
le **bouton,** button; **le bouton de la porte,** doorknob
la **boutonnière,** buttonhole
le **bracelet,** bracelet
la **branche,** branch
le **bras,** arm; **au bras,** on the arm
**brave,** good; **un brave,** a brave man
la **brèche,** hole, breech
le **Brésil,** Brazil
**breton, bretonne,** Breton
le **breuvage,** beverage
**brillamment,** brilliantly
**brillant, -e,** brilliant, shining
**briller,** to shine
la **brindille,** twig
la **broche,** spit
**broché, -e,** brocaded
**brosser,** to brush
**broyer,** to grind
le **bruit,** noise, sound

brûler, to burn
brun, -e, brown
la **brune**, brunette
la **brusquerie**, brusqueness
**bruyant, -e**, noisy
la **bûche**, log
le **budget**, budget
le **bureau**, desk
le **buste**, bust
il **buvait** (**boire**), he used to drink, was drinking, drank

## C

**c'** = **ce**
**ça**, that, it; **ça y est**, sure enough
le **cabinet**, office; **cabinet de travail**, workroom
le **cacao**, cocoa
le **cacaoyer**, cocoa tree
**cacher**, to hide
**cachette**: **en cachette**, secretly
le **cadeau**, gift; **cadeau de fête**, birthday gift
le **cadre**, frame
le **café**, coffee, café
le **cahier**, notebook
la **Californie**, California
**calmer**, to calm; **se calmer**, to calm oneself
le **calorifère**, furnace, stove
le **cambrioleur**, burglar
le **camp**, camp
la **campagne**, country, countryside, region, country district
le **canari**, canary
le **candélabre**, candelabrum
le **caniche**, poodle
le **canton**, canton, region
**capable**, capable
le **capitaine**, captain
**car**, for
le **caractère**, character
la **caractéristique**, characteristic
la **carafe**, pitcher, decanter
le **Carcassonnais**, native of Carcassonne
**Carcassonne**, city in southwestern France (department of Aude), located on the Aude River and the Canal du Midi. Carcassonne is surrounded by fine ramparts and is the most complete example in existence of the medieval fortified city.
**caresser**, to stroke, caress
la **caricature**, caricature
le **caricaturiste**, caricaturist
le **carnet**, notebook; **carnet de chèques**, checkbook
le **carosse**, carriage
la **carrière**, career
la **carte**, card
la **cascade**, torrent, cascade
la **catapulte**, catapult
la **cathédrale**, cathedral
le **cauchemar**, nightmare
la **cause**, cause
**causer**, to cause
le **cavalier**, cavalier, horseman, escort
**ce**, it, that, this, he, she
**ce, cet, cette**, this, that
**ceci**, this
**céder**, to yield, give, let have, give up
la **ceinture**, belt, circle, girdle
**cela**, that
**célèbre**, famous
**celle**, that, the one, this; **celle-ci**, this one, the one
**celui**, that, this, the one; **celui-ci**, the one, this, the latter, he, that one, that; **celui-là**, the one, the former, that one
**cent**, hundred

**centenaire,** of a hundred years, a hundred years old
**cependant,** nevertheless, however
**ce que,** that, that which, what
**ce qui,** which, what, that
le **cercle,** circle
la **cérémonie,** ceremony
la **cerise,** cherry; **au temps des cerises,** in cherry time
le **cerisier,** cherry tree
**certain, -e,** certain
**certainement,** certainly
**certes,** to be sure
**ces,** these, those
**cesser** (de), to stop
**cet,** *see* **ce**
**cette,** *see* **ce**
**ceux,** those, these; **ceux-ci,** the latter
**chacun, -e,** each, each one, every one
le **chagrin,** grief
la **chaise,** chair
la **chambre,** room, chamber; **chambre à coucher,** bedroom
le **champ,** field
le **changement,** change
**changer,** to change; **se changer,** to change, be changed
la **chanson,** song
**chanter,** to sing
la **chanteuse,** singer
le **chapeau,** hat
**chaque,** each, every
la **charcuterie,** pork butcher's sausages, dressed pork
**charger,** to entrust, load, appoint; **se charger de,** to be laden *or* burdened with; **chargé de,** laden with, in charge of
**Charles VII,** 1403–1461, son of Charles VI and of Isabeau of Bavaria, king of France in 1422. When he came to the throne, the English had taken possession of a large part of France. The king had little success in driving out the invaders until Joan of Arc awakened French patriotism and overthrew the English power in France.
**charmant, -e,** charming
**charmer,** to charm, delight, please; **être charmé de,** to be delighted with
**chasser,** to drive out
le **chat,** cat
**châtain, -e,** chestnut-colored; **châtain clair,** light brown, auburn
le **château,** castle, château
le **chatoiement,** glistening
**chatouiller,** to tickle
la **chatte,** cat
**chaud, -e,** hot, warm; **faire chaud,** to be hot
**chauffé, -e,** heated
**chauve,** bald
le **chef,** leader, chef; **chef d'orchestre,** orchestra leader
le **chef-d'œuvre,** masterpiece
le **chemin,** road, way; **faire un long chemin,** to come a long distance
la **cheminée,** chimney, fireplace
**cheminer,** to walk along
le **chêne,** oak
**cher, chère,** dear; **mon cher,** my dear, my friend
**chercher,** to look for, get, seek; **chercher à,** to try to
**chéri, -e,** dear, cherished
**chétif, chétive,** delicate
le **cheval,** horse
le **chevalier,** knight
la **chevauchée,** horseback riding
la **chevelure,** head (of hair)

les **cheveux,** *m. pl.*, hair
**chez,** with, at, in, at (to) the house (office, store, etc.) of; **chez moi (nous),** home, at (in) my (our) house; **chez le voisin,** at the neighbor's; **chez eux,** to their place; **chez les enfants,** in children; **chez qui,** (at) whose house; **chez lui,** at home, at his home, in one's own country; **chez le docteur,** at the doctor's
le **chien,** dog; **chien de luxe,** lap-dog, expensive dog
le **chignon,** chignon (a coil of hair worn by women at the back of head or neck)
la **Chine,** China
**Chinon,** city on the Vienne River (department Indre-et-Loire), famous for its interesting château
le **chocolat,** chocolate
**choisir,** to choose
le **choix,** choice
le **chômeur,** unemployed person
la **chose,** thing; **autre chose,** something else; **quelque chose,** something; **quelque chose de facile,** something easy
**chuchoter,** to whisper
**chut!** sh!
le **ciel,** sky, heaven
la **cigarette,** cigarette
**cinq,** five
**cinquante,** fifty
**cinquième,** fifth
**circuler,** to move on
les **cisailles,** *f. pl.*, shears
la **cité,** city
le **citron,** lemon
**clair, –e,** clear, light, bright
**clairement,** clearly
**clandestin, –e,** clandestine, secret
la **clef,** key
le **client,** guest, client, customer
la **clientèle,** clientele
le **clocher,** steeple
**clouer,** to nail
le **cochon,** pig
le **cœur,** heart; **au cœur,** in my heart; **de bon cœur,** heartily; **par cœur,** by heart; **de tout son cœur,** wholeheartedly
le **coffre-fort,** safe, strong-box
**coiffé, –e,** topped, with head covered
le **coin,** corner
la **colère,** anger, rage; **mettre en colère,** to enrage; **entrer dans une belle colère,** to fly into a rage
le **collègue,** colleague
la **colline,** hill
la **colonie,** colony
**combien,** how, how much, how many
**combiner,** to combine
**combler,** to shower, overwhelm
**commander,** to order, command
**comme,** as, like, as if, how, since, because
le **commençant,** beginner
le **commencement,** beginning
**commencer (à),** to begin (to); **pour commencer,** to begin with
**comment,** how, what; **comment, non?** what do you mean "no"? **comment est . . .?** what is . . . like?
le **commissionnaire,** errand boy
**communiquer,** to communicate
le **commutateur,** switch
la **compagnie,** company
le **compagnon,** companion

la **comparaison,** comparison
le **compartiment,** compartment
**complètement,** completely
**compléter,** to complete
la **complication,** complication, trouble
se **comporter,** to behave
**composer,** to compose
il **comprenait (comprendre),** he used to understand, was understanding, understood, would understand
il **comprend (comprendre),** he understands
**comprendre,** to understand
je **comprends (comprendre),** I understand
**comprenez! (comprendre),** understand!
vous **comprenez (comprendre),** you understand
ils **comprirent (comprendre),** they understood, realized
**compris, –e (comprendre),** understood
il **comprit (comprendre),** he understood, realized, did understand
le **compte,** account; **faire ses comptes,** to take stock, figure out one's budget
**compter,** to count
le **comte,** count
le **concert,** concert
**conçu, –e (concevoir),** conceived, perceived
le **condiment,** condiment, spice
la **condition,** condition; **poser des conditions,** to stipulate, state conditions
**conduire,** to take, lead, drive
il **conduisait (conduire),** he used to lead, was leading, led
**conduisant, –e (conduire),** going down, leading
il **conduisit (conduire),** he led
**conduit, –e (conduire),** led
la **confection,** making
**confectionner,** to make, concoct
la **conférence,** conference
la **confiture,** jam
le **confort,** comfort
**confortable,** comfortable
je **connais (connaître),** I know, am acquainted with, do know
tu **connais (connaître),** you know, do know
tu te **connais (se connaître),** you are versed
ils **connaissaient (connaître),** they used to know, were knowing, knew, knew of
il **connaissait (connaître),** he used to know, was knowing, knew, knew of
la **connaissance,** acquaintance, knowledge
le **connaisseur,** connoisseur, expert, lover; **connaisseur en musique,** music lover
vous **connaissez (connaître),** you know
il **connaît (connaître),** he knows
**connaître,** to know, be acquainted with; **se connaître,** to know, be versed in
**connu, –e (connaître),** known
**consacrer,** to devote
le **conseil,** advice, council
le **conseilleur,** adviser, counselor, councillor
il **consent (consentir),** he consents
**consentir,** to consent, agree
il **consentit (consentir),** he consented
**considérablement,** considerably
**considérer,** to consider

**consister**, to consist
**consoler**, to console
**constater**, to know of, learn of
**consternant, –e**, disturbing, upsetting
la **consternation**, consternation
**consterné, –e**, in consternation
la **consultation**, advice
le **contact**, contact
le **conte**, story
la **contemplation**, contemplation
**contempler**, to contemplate, behold, see, look at
**content, –e (de)**, pleased, satisfied (with)
se **contenter de**, to be content with
**conter**, to tell
**continuer**, to continue, keep on, go on; **continuer à lire**, to keep on reading
**contre**, against
le **contrôleur**, conductor
**convenable**, proper
**convenez! (convenir)**, admit!
**convenir**, to admit, agree; **il faut en convenir**, we must admit that
**convenu, –e (convenir)**, agreed upon
la **conversation**, conversation
**cordial, –e**, cordial
**cordialement**, cordially
la **cordialité**, cordiality
le **cordon**, circle
la **corniche**, cornice
la **correction**, correction
**corriger**, to correct
la **Corse**, Corsica
le **cortège**, cortege, procession
le **costume**, costume; **costume de cavalier**, man's riding habit
**costumé, –e**, dressed, costumed
la **côte**, hill
la **côte**, side; **côte à côte**, side by side
le **côté**, side; **à côté de**, beside, next to; **du côté de**, from; **de tous côtés**, in all directions; **de ce côté**, around here
le **cou**, neck
la **couche**, layer
**coucher**, to lie down; **coucher!** lie down! **se coucher**, to go to bed
le **coude**, elbow
**coudre**, to sew
la **couleur**, color; **de couleur**, colored; **de quelle couleur est**, what color is
le **coup**, blow, knock; **d'un coup sec**, with a sharp blow; **coup d'œil**, glance; **tout à coup**, suddenly
**couper**, to cut
le **couple**, couple
la **cour**, court, yard
le **courage**, courage
**courant, –e (courir)**, flowing, fluent, current, running; **en courant**, running, at full speed
le **courant**, current; **courant d'air**, draft
ils **courent (courir)**, they run
nous **courions (courir)**, we used to run, were running, ran
**courir**, to run; **en courant**, running, at full speed
la **couronne**, crown
le **courrier**, messenger
le **cours**, course; **au cours de**, in the course of
je **cours (courir)**, I run, am running, do run; **j'y cours**, I'm off
**court, –e**, short
le **courtisan**, courtier
**couru, –e (courir)**, run

ils **coururent** (**courir**), they ran
il **courut** (**courir**), it was current, he ran
le **cousin**, cousin
la **cousine**, cousin
le **couteau**, knife
**coûter**, to cost
la **couture**, sewing
**couvert**, -**e** (**couvrir**), covered, drowned out
il **couvre** (**couvrir**), he covers
**couvrir**, to cover
ils **craignaient** (**craindre**), they used to fear, were fearing, feared
il **craignait** (**craindre**), he used to fear, was fearing, feared
**craindre**, to fear
la **crainte**, fear; **de crainte de**, for fear of
le **crâne**, cranium, skull
la **cravate**, necktie
la **créature**, creature
**créer**, to create
la **crème**, cream
le **créneau**, battlement, loophole
**creuser**, to dig
**creux**, **creuse**, hollow
**crever**, to split, burst open
le **cri**, cry, shout
**crier**, to cry, shout
le **crime**, crime
le **crin**, hair
le **cristal**, glass, crystal
il **croie** (**croire**), he may believe
**croire**, to believe; **en les faisant croire**, by making them think
je **crois** (**croire**), I believe, think; **je crois que oui**, I think so
il **croit** (**croire**), he believes, thinks
**crouler**, to sink, be weighed down with
nous **croyons** (**croire**), we think, believe
le **cruchon**, pitcher
ils **crurent** (**croire**), they thought; **ils crurent entendre**, they thought they heard
il **crut** (**croire**), he thought
**cueillir**, to pick, gather
le **cuir**, leather
la **cuisine**, kitchen, cuisine, art of cookery, cooking
le **cuisinier**, cook
la **cuisinière**, cook
la **culotte**, trousers, breeches
le **cultivateur**, farmer
**cultiver**, to raise, grow
**cultural**, -**e**, cultural
la **culture**, raising, cultivation
le **curé**, priest
**curieux**, **curieuse**, curious; **les curieux**, the curious
la **curiosité**, curiosity

## D

**d'** = **de**
**d'abord**, first
**d'ailleurs**, moreover, besides
la **dame**, lady
le **danger**, danger
**dangereux**, **dangereuse**, dangerous
**dans**, in, into
la **danse**, dance
**danser**, to dance; **en dansant**, while (we are) dancing
le **danseur**, dancer
**dater**, to date
le **dauphin**, dauphin (title of the eldest son of the French king)
**davantage**, (any) more, either, longer
**de**, to, of, with, in, from, any, some, than, by, for, at, as, on
**débarrasser**, to clear, rid of;

**se débarrasser de,** to get rid of
le **débat,** dispute, strife, contest
**déboucher,** to open
**debout,** standing
le **début,** beginning; **au début de,** at the beginning of
se **déchausser,** to take off one's shoes
**décider,** to decide; **se décider,** to decide
la **décision,** decision
la **déclaration,** declaration, proposal; **faire une déclaration,** to propose
**déclarer,** to declare, say
le **déclic,** click
**découper,** to cut up
**découragé, –e,** discouraged
**décourager,** to discourage
**découvert, –e (découvrir),** discovered
**décrivez ! (décrire),** describe !
**décrocher,** to take down the receiver (*telephone*)
**dedans,** inside
le **défaut,** fault
**défendre,** to forbid, defend; **se défendre,** to defend oneself
**défendu, –e,** forbidden
le **défenseur,** defender
la **déférence,** deference
le **déguisement,** disguise
**dehors: au dehors,** outside
**déjà,** already
**déjeuner,** to lunch
**délibérer,** to deliberate
**délicat, –e,** delicate
la **délicatesse,** delicacy
**délicieux, délicieuse,** delicious
le **délit,** crime
**délivré, –e,** delivered
le **déluge,** deluge
**demain,** tomorrow; **à demain,** until tomorrow
**demander (à),** to ask, ask for, demand; **je vous demande pardon,** I beg your pardon; **on demande M. Cloutier,** page Mr. Cloutier; **se demander,** to wonder
le **dément,** fool, lunatic, madman
**demeurer,** to live, remain, stay
**demi, –e,** half; **six heures et demie,** six-thirty
le **demi-cercle,** semicircle
la **demi-heure,** half-hour
la **demi-obscurité,** semi-darkness
**démodé, –e,** old-fashioned
la **démonstration,** demonstration
**dénoncer,** to denounce
la **dent,** tooth
la **dentelle,** lace
le **départ,** departure
le **département,** department
**dépasser,** to pass
**dépecer,** to cut up, carve
se **dépêcher,** to hurry
**dépendre,** to depend
le **dépens,** expense; **aux dépens de,** at the expense of
la **dépense,** expense
**dépenser,** to spend
**déposer,** to place
**dépourvu, –e,** deprived
**depuis,** for, since, ago
**déranger,** to disturb; **se déranger,** to disturb oneself, get mussed
**dernier, dernière,** last; **ce dernier,** the latter
**derrière,** behind
**des = de + les,** some, any, of the
**dès,** from, since, as early as, as soon as; **dès que,** as soon as
**désagréable,** disagreeable

le **descendant, la descendante,** descendant
**descendre,** to come down, go down (stairs), get off, stop at, stop, get out
**désert, –e,** deserted
**désespérément,** desperately
**déshabiller,** to undress
**désigner,** to designate, point to
le **désir,** desire
**désirer,** to desire, wish, want
**désobéissant, –e,** disobedient
**désolé, –e,** very sorry, disappointed
**désordonné, –e,** untidy
**désormais,** henceforth
**dès que,** as soon as
le **dessein,** design, plan, intention
le **dessin,** drawing
**dessiner,** to draw, design, plan
**dessus,** on it
**destiné, –e,** planned
le **détail,** detail
se **détendre,** to stretch (in a smile), distend, relax
**détester,** to hate, detest
**détruisant, –e,** destroying
ils **détruisent (détruire),** they destroy, are destroying
**détruit, –e (détruire),** destroyed, demolished
**deux,** two; **tous (les) deux,** both
**deuxième,** second; **au deuxième,** on the second floor (*our third floor*)
ils **devaient (devoir),** they were to, had to
il **devait (devoir),** he was to, had to
**dévaliser,** to rifle
**devant,** before, in front of
il **devenait (devenir),** he used to become, was becoming, became
**devenir,** to become
**devenu, –e (devenir),** become
**déverser,** to pour out
il **devient (devenir),** he becomes, does become
**deviner,** to guess
**devoir,** to owe, ought, be to, must, have to
le **devoir,** duty
nous **devons (devoir),** we owe, should, must
il **devrait (devoir),** he ought, should
le **diagnostic,** diagnosis
**Dieu,** God
la **difficulté,** difficulty
**diminuer,** to diminish
**dîner,** to dine
le **dîner,** dinner
le **dîneur,** diner
le **diplomat,** diplomat
**diplomate,** diplomatic
je **dirai (dire),** I shall tell
il **dirait (dire),** he would say
**dire,** to talk, say, tell; **c'est à dire,** that is, this means; **se dire,** to tell oneself
la **direction,** direction
ils **dirent (dire),** they said, did say
vous **direz (dire),** you will tell, will say
**diriger,** to direct; **se diriger,** to go
**dis! (dire),** say! tell!
je **dis (dire),** I say, tell
tu **dis (dire),** you do say, say, are saying
je **disais (dire),** I used to say, was saying, said, used to tell, was telling, told
il **disait (dire),** he used to say, was saying, said

**disant** (**dire**), saying; **en disant,** while saying
**discret, discrète,** discreet
la **discussion,** discussion
**discuter** (**de**), to discuss
ils **disparaissent** (**disparaître**), they disappear, do disappear
**disparaître,** to disappear
la **disparition,** disappearance
**disposer,** to place
la **dispute,** quarrel
**distant, –e,** distant
la **distraction,** amusement
se **distraire,** distract oneself
**distribuer,** to distribute
il **dit** (**dire**), he says; **on dit,** they say
**dit, –e** (**dire**), told, said
il **dit** (**dire**), he told, said, did say
il **dit** (**dire**), he says, does say
**dites!** (**dire**), say! do . . . say! tell! **dites-moi!** tell me!
vous **dites** (**dire**), you say, are saying
la **divagation,** raving
**divinement,** divinely
**diviser,** to divide
**dix,** ten
**dix-huitième,** eighteenth
**dix-neuf,** nineteen
**dix-neuvième,** nineteenth
**dix-septième,** seventeenth
**docilement,** docilely
le **docteur,** doctor; **chez le docteur,** at the doctor's
le **doigt,** finger; **du doigt,** with his finger
je **dois** (**devoir**), I owe
tu **dois** (**devoir**), you are to
il **doit** (**devoir**), he must, is to
ils **doivent** (**devoir**), they must, are to
le **domaine,** domain
le *or* la **domestique,** servant
**dominer,** to dominate, overlook
**dommage: c'est dommage,** it's a pity
**dompter,** to subdue, conquer
**donc,** then, therefore, well, do
**donner,** to give
**dont,** whose, from whom, of which, with which, at which
**dormi** (**dormir**), slept
**dormir,** to sleep
le **dos,** back
se **doubler de,** to be paralleled by, be matched with
la **douce-amère,** bittersweet
**doucement,** softly
la **douceur,** sweetness, mildness, softness
le **doute,** doubt; **sans doute,** doubtless
**doux, douce,** mild, gentle; **il fait doux,** it is mild
**dramatique,** dramatic
le **dramaturge,** dramatist
**draper,** to drape
**dresser,** to set up, pitch
**droit, –e,** straight, straight ahead
**drôle,** funny; **drôle de client!** what a funny customer!
**drôlement,** queerly
**du = de + le,** of the
**dû, due** (**devoir**), due, owing, fitting
le **duc,** duke
le **duel,** duel
**Dumas,** Alexandre, père, 1802–1870, famous novelist and dramatist, the most popular writer of his time. Two of his best-known works are *The Three Musketeers* and *The Count of Monte-Cristo.*
**duper,** to dupe, deceive
**dur, –e,** hard

**durer,** to last
la **dynamo,** dynamo

**E**

l'**eau,** *f.*, water
s'**ébattre,** to disport oneself
s'**ébrouer,** to snort, sneeze
**écarté, –e,** set apart; **rue écartée,** back street
**écarter,** to put aside, dismiss, send away
l'**échange,** *m.*, exchange
**échanger,** to exchange
**échapper,** to escape; **s'échapper,** to escape
l'**échelle,** *f.*, ladder
l'**éclair,** *m.*, flash (*of lightning*)
**éclairé,–e,** lighted, illuminated
**éclairer,** to elucidate, light, light up, enlighten
l'**éclat,** *m.*, burst, sound
l'**école,** *f.*, school
les **économies,** *f. pl.*, savings
**écouter,** to listen (to); **tout en écoutant,** while listening
s'**écrier,** to cry, cry out
l'**écrin,** *m.*, jewel box
**écrire,** to write
j'**écris** (**écrire**), I write
il **écrit** (**écrire**), he writes
l'**écrit,** *m.*, writing
**écrit, –e** (**écrire**), written
l'**écrivain,** *m.*, writer
il **écrivait** (**écrire**), he used to write, was writing, wrote
s'**écrouler,** to crumble, collapse
l'**écu,** *m.*, crown (*coin*)
l'**éducation,** *f.*, education
**effaré, –e,** frightened
l'**effet,** *m.*, effect; **en effet,** indeed, actually, in fact
l'**effigie,** *f.*, effigy; **à son effigie,** bearing his likeness
**égal, –e,** equal
**également,** equally, likewise, also
l'**égard,** *m.*, consideration; *often used in plural*
l'**église,** *f.*, church
**égoïste,** selfish
**eh,** oh; **eh bien,** well
**élargi, –e,** widened, wide
l'**électricité,** *f.*, electricity
**électrique,** electric
**élégant, –e,** elegant
**élevé, –e,** high; **plus élevé,** higher; **bien élevé,** well-bred
**élever,** to raise, bring up
**elle,** she, her; **c'est à elle,** it belongs to her
**elles,** they, them
l'**éloge,** *m.*, praise
**éloigner,** to send away; **s'éloigner,** to go off, go away, become distant
l'**éloquence,** *m.*, eloquence
**élu, –e** (**élire**), elected
l'**élucubration,** *f.*, lucubration, laborious study *or* effort
l'**embarras,** *m.*, embarrassment
**embarrassé, –e,** embarrassed
**embaumé, –e,** fragrant
l'**embellissement,** beautifying
**embrasser,** to kiss
l'**embrasure,** recess; **embrasure de fenêtre,** window recess
s'**embrouiller,** to become confused
l'**émeraude,** *m.*, emerald
l'**émissaire,** *m.*, messenger, emissary
l'**emménagement,** *m.*, moving
j'**emmène** (**emmener**), I take
il **emmène** (**emmener**), he takes, does take
**emmener,** to take, take away
l'**émotion,** *f.*, emotion
s'**emparer de,** to take hold of, take possession of, seize

**empêcher**, to keep from, prevent
l'**empereur**, *m.*, emperor
**empiler**, to pile up
l'**employé**, *m.*, employee
**employer**, to use
**empoigner**, to take hold of
**empoisonné**, –**e**, poisonous
**emporter**, to take with (one), take off, carry off
l'**emprisonnement**, *m.*, imprisonment
**emprunter**, to borrow
**en**, to, in, upon, into, at, as, like, on, by, while, some, any, of it, of them, from it, from them, because of it, because of them, from there
**encadrer**, to frame
l'**enceinte**, *f.*, enclosure
**enchanté**, –**e**, delighted, charmed
l'**enchantement**, *m.*, magic
**encore**, still, again; **encore un(e)**, another
**encourageant**, –**e**, encouraging
**en-dessous**, under them, underneath
s'**endormir**, to fall asleep
je m'**endors** (**s'endormir**), I fall asleep
il s'**endort** (**s'endormir**), he goes to sleep
l'**endroit**, *m.*, place
l'**enfance**, *f.*, childhood
l'**enfant**, *m. or f.*, child
**enfantin**, –**e**, childish, child's
**enfermer**, to lock up, shut up
**enfin**, finally, really, at last
s'**enfler**, to puff out, swell
s'**enfuir**, to flee
ils s'**enfuirent** (**s'enfuir**), they fled
il s'**enfuit** (**s'enfuir**), he flees
s'**engraisser**, to grow fat
**enhardi**, –**e**, emboldened
il **enlève** (**enlever**), he takes off
**enlever**, to take away, take off, take out
l'**ennemi**, *m.*, **ennemie**, *f.*, enemy
il s'**ennuie** (**s'ennuyer**), he is bored
s'**ennuyer**, to be bored
**énorme**, enormous
**ensemble**, together
**entasser**, to heap up
**entendre**, to hear, agree; **se faire entendre**, to be heard; **s'entendre**, to understand each other
**entendu**, –**e**, agreed; **bien entendu**, of course
l'**enthousiasme**, *m.*, enthusiasm
**enthousiasmé**, –**e**, enthusiastic, enraptured
l'**enthousiaste**, *m. f.*, enthusiast
**entier**, **entière**, entire, whole; **tout entier**, fully
l'**entourage**, *m.*, retinue, advisers, attendants
**entourer** (**de**), to surround (with); **faire entourer**, to have surrounded
l'**entr'acte**, *m.*, intermission
**entre**, between, with, among, in, into
l'**entrée**, *f.*, entrance
**entreprendre**, to undertake
**entrer** (**dans**), to enter, go into, come in(to); **entrez donc**, come right in
**entretenir**, to maintain
ils **entretiennent** (**entretenir**), they maintain
**énumérer**, to enumerate
**envers**: **tout à l'envers**, all upset
l'**envie**, *f.*, envy, desire, mind,

inclination; **j'ai envie de,** I have a mind to
**environ,** about
les **environs,** *m. pl.,* surroundings; **aux environs,** in the vicinity, near
j'**envoie** (**envoyer**), I send
il **envoie** (**envoyer**), he sends
l'**envoyé,** *m.,* messenger
**envoyer,** to send
l'**épagneul,** *m.,* spaniel
**épais, épaisse,** thick
l'**épaisseur,** *f.,* thickness
**épargner,** to spare
**épars, –e,** scattered
l'**épaule,** *f.,* shoulder
l'**épée,** *f.,* sword
**éperdu, –e,** distraught
l'**épiderme,** *m.,* skin
s'**éponger,** to mop, wipe
l'**époque,** *f.,* epoch, period, age
**épouser,** to marry
l'**épreuve,** *f.,* proof
**épuiser,** to exhaust; **s'épuiser,** to become exhausted
tu **es** (**être**), you are
l'**escalier,** *m.,* staircase
**escorter,** to escort
l'**Espagne,** *f.,* Spain
**espagnol, –e,** Spanish
les **Espagnols,** *m. pl.,* Spanish (people)
l'**espèce,** *f.,* species
**espérer,** to hope
l'**espoir,** *m.,* hope
l'**esprit,** *m.,* mind, wit; **mot d'esprit,** witticism
l'**essai,** *m.,* attempt
il **essaie** (**essayer**), he tries
**essayer,** to try
**essentiel, essentielle,** essential
**essuyer,** to wipe
il **est** (**être**), he is; **ça y est,** that's it, sure enough
l'**estime,** *f.,* esteem
**estimer,** to esteem
l'**estomac,** *m.,* stomach
**et,** and
**établir,** to establish, arrange
l'**établissement,** *m.,* establishment
l'**étage,** *m.,* story, floor; **au premier étage,** on the first floor (*our second floor*)
ils **étaient** (**être**), they were
il **était** (**être**), he was
l'**état,** *m.,* state
l'**été,** *m.,* summer
**été** (**être**), been; **il a été,** was, has been; **j'ai été,** I was, have been
s'**éteindre,** to die out, be extinguished
il **s'éteint,** it is extinguished
**éteint, –e** (**éteindre**), extinguished
s'**étendre,** to stretch, extend
**éternuer,** to sneeze
vous **êtes** (**être**), you are
**étonné, –e,** astonished
l'**étonnement,** *m.,* astonishment
s'**étonner,** to be astonished, realize with surprise
**étrange,** strange
l'**étranger,** *m.,* **étrangère,** *f.,* stranger, foreigner
**étranger, étrangère,** foreign; **à l'étranger,** abroad, in foreign countries
**être,** to be, have (*as auxiliary*); **être à,** to belong to; **être en train de,** to be busy; **être à demi-mort,** to be half dead
l'**être,** *m.,* being
**étroit, –e,** narrow
l'**étude,** *f.,* study
l'**étudiant,** *m.,* **étudiante,** *f.,* student
**eu** (**avoir**), had; **j'ai eu,** I had, have had

il **eut (avoir)**, he had, did have; **il y eut,** there were
il **eût** (avoir), he might have
**eux,** they, them, themselves
**éveillé, -e,** awake
s'**éveiller,** to wake up
**évidemment,** evidently
**évoquer,** to evoke
**exagérer,** to exaggerate
**examiner,** to examine
**exaspéré, -e,** exasperated
**exaspérer,** to exasperate
**excellent, -e,** excellent
**exciter,** to excite
l'**exclamation,** *f.*, exclamation
**exclusivement,** exclusively
s'**excuser,** to apologize
l'**exemple,** *m.*, example
l'**exercice,** *m.*, exercise
l'**exigence,** *f.*, demand, claim
l'**exil,** *m.*, exile
**exister,** to exist
**exorbitant, -e,** exorbitant
**exotique,** exotic
**expérience,** *f.*, experience, experiment
**expirant, -e,** on the point of death
**expirer,** to die
l'**explication,** *f.*, explanation
**expliquer,** to explain; **s'expliquer,** to explain oneself
**explorer,** to explore
**exposer,** to expose
l'**exposition,** *f.*, exhibit; **exposition de peinture,** exhibition of paintings
l'**expression,** *f.*, expression
**exprimer,** to express
**extraordinaire,** extraordinary, unusual
l'**extension,** *f.*, extension; **par extension,** by a further application

## F

le **fabricant,** manufacturer, maker
**fabriquer,** to make
la **face,** face; **en face de,** opposite
se **fâcher,** to be angry
**facile,** easy
**faible,** weak
la **faiblesse,** weakness
la **faim,** hunger; **j'ai faim,** I am hungry; **avoir très faim,** to be very hungry
**faire,** to do, make, cause, be, take, say; **vous faire trouver,** to help you find; **faire envoyer,** to have sent; **faire mal,** to hurt; **faire chaud,** to be hot; **faire une promenade,** to take a walk; **faire poser,** to have laid; **faire bâtir,** to have built; **faire venir,** to make come, fetch; **faire faire,** to have (something) done *or* made, cause (to be done)
je **fais (faire)**, I am doing, do, make, am making; **ce que je fais?** what am I doing?
tu **fais (faire)**, you are doing, do; **ce que tu fais,** what you are doing
ils **faisaient (faire)**, they used to make, were making, made, used to do, were doing, did; **ils faisaient pleuvoir,** they poured
il **faisait (faire)**, he used to make, was making, made, used to do, was doing, did; **il faisait ses comptes,** he was figuring out his budget, was taking stock
**faisant (faire)**, making; **en faisant flic floc,** by swishing

rounded; **il fit donner,** he ordered to be given
se **fixer,** to become fixed
la **flamme,** flame
**flatteur, flatteuse,** flattering
se **flatter de,** to flatter oneself
la **flèche,** arrow
la **fleur,** flower
**fleurdelisé, –e,** adorned with fleur-de-lis
la **fleuriste,** florist
le **flot,** flood
la **flûte,** flute
la **foi,** faith
le **foie,** liver
la **fois,** time, times; **une fois de plus,** once more; **à la fois,** at the same time
**folle,** *see* **fou**
le **fond,** bottom
**fondre,** to melt; **en faisant fondre,** by letting dissolve
**fondu, –e,** melted
ils **font** (**faire**), they make, do, are doing, do do
**Fontainebleau,** town not far from Paris, famous for its fine château built by Francis I, where Napoleon signed his abdication in 1814
**forcé, –e,** forced
la **force,** strength
la **formalité,** formality
la **forme,** form
**former,** to form
**fort, –e,** hard, strong, loud; **plus fort,** louder; **fort bien,** very well; **c'est un peu fort,** this is too much
la **fortune,** fortune
la **fosse,** moat
le **fossé,** ditch
**fou, fol, folle,** foolish, crazy; **le fou,** fool; **rendre fou,** to drive crazy
**fouiller,** to search
**fourrer,** to put, thrust
la **fourrure,** fur
le **foyer,** hearth, home; **rentrer dans leur foyer,** to return home
**fracturer,** to break into
**fragile,** fragile
la **fraîcheur,** coolness
**frais, fraîche,** fresh, cool; **il fait frais,** it is cool
les **frais,** *m. pl.*, expenses; **frais de travail,** overhead
la **fraise,** strawberry; **fraises à gros fruits,** large-sized strawberries
le **franc,** franc, (*French money*)
le **français,** French (language)
**français, –e,** French
le **Français,** Frenchman
la **France,** France; **Ile de France,** province of ancient France, the capital of which was Paris
**franchement,** frankly
**frapper,** to knock, strike
**Frédéric II,** Frederick the Great, 1712–1786, king of Prussia from 1740–1786, famous warrior and skillful administrator, who laid the foundations of German national strength
**frêle,** thin, frail, weak
**frémir,** to tremble, shiver
le **frère,** brother
**frétiller,** to quiver, wag, wiggle
**friand, –e,** tempting, dainty
**friser,** to curl
**frisé, –e,** curly
**frivole,** frivolous
le **froid,** cold; **il fait froid,** it is cold
le **front,** brow, forehead
la **frontière,** frontier
**frotter,** to rub

**fait, –e (faire)**, made, done, had, caused
il **fait** (**faire**), he makes, does make, does do, does, is doing, takes, says, it is (*of weather*); **il fait noir,** it is dark
vous **faites** (**faire**), you are doing, are making, do, make
**faites!** (**faire**), do! make! **faites monter!** show up! bring up! **faites sortir!** show out! send away!
il **fallait** (**falloir**), it was necessary
**falloir**, to be necessary
il **fallut** (**falloir**), had to, it was necessary to
**familiariser**, to make familiar, familiarize
la **famille**, family
le **fardeau**, burden
nous **fassions** (faire), we make
la **fatigue**, fatigue, weariness
**fatigué, –e**, weary, tired
**fatiguer**, to tire, weary; **se fatiguer**, to get tired, become weary, wear oneself out
il **faudrait** (**falloir**), it would be necessary, he ought
il **faut** (**falloir**), we must, one must, it is necessary, it is needed; **il ne faut pas,** one must not; **il te faut,** you need; **que nous faut-il?** what do we need? **il faut savoir,** one must know; **il me faut,** I must, need, it takes me; **il nous faut,** we need, do need
la **faute**, fault
le **fauteuil**, armchair
**faux, fausse**, false
le **favori**, pet
**favori, –te**, favorite
les **favoris**, *m. pl.*, whiskers

la **femme,** wife, woma
**de chambre**, lady's
la **fenêtre**, window
la **fente**, crack
il **fera** (**faire**), he wil
make, will take
il **ferait** (**faire**), he v
would make
la **ferme**, farm
**fermer**, to close, shu
**à clef**, to lock
le **fermier**, farmer
la **fête**, feast, festival,
**en fête**, in a mer
**bonne fête**, happy
**pour sa fête**, for her
le **feu**, fire; **feu de b**
fire
le **feuillage**, foliage
la **feuille**, leaf
le **feutre**, felt
**fiancé, –e**, engaged
**fier, fière**, proud
la **figure**, face
se **figurer**, to imagine
le **fil**, thread
la **fille**, girl, daughter;
**fille**, girl
le **fils**, son
**fin, –e**, fine, delicate
la **fin**, end; **une fin de**
the end of a day;
finally
**finalement**, finally
le **financier**, financier
**financier, financière,**
la **finesse**, fineness
**finir**, to finish, end
ils **firent** (faire), they m
la **fissure**, crack
il **fit** (faire), he had m
do, took; **il fit bâtir, h**
built, ordered to be
**fit passer**, he had
**il fit entourer**, he h

rounded; **il fit donner,** he ordered to be given
se **fixer,** to become fixed
la **flamme,** flame
**flatteur, flatteuse,** flattering
se **flatter de,** to flatter oneself
la **flèche,** arrow
la **fleur,** flower
**fleurdelisé, –e,** adorned with fleur-de-lis
la **fleuriste,** florist
le **flot,** flood
la **flûte,** flute
la **foi,** faith
le **foie,** liver
la **fois,** time, times; **une fois de plus,** once more; **à la fois,** at the same time
**folle,** *see* **fou**
le **fond,** bottom
**fondre,** to melt; **en faisant fondre,** by letting dissolve
**fondu, –e,** melted
ils **font** (**faire**), they make, do, are doing, do do
**Fontainebleau,** town not far from Paris, famous for its fine château built by Francis I, where Napoleon signed his abdication in 1814
**forcé, –e,** forced
la **force,** strength
la **formalité,** formality
la **forme,** form
**former,** to form
**fort, –e,** hard, strong, loud; **plus fort,** louder; **fort bien,** very well; **c'est un peu fort,** this is too much
la **fortune,** fortune
la **fosse,** moat
le **fossé,** ditch
**fou, fol, folle,** foolish, crazy; **le fou,** fool; **rendre fou,** to drive crazy
**fouiller,** to search
**fourrer,** to put, thrust
la **fourrure,** fur
le **foyer,** hearth, home; **rentrer dans leur foyer,** to return home
**fracturer,** to break into
**fragile,** fragile
la **fraîcheur,** coolness
**frais, fraîche,** fresh, cool; **il fait frais,** it is cool
les **frais,** *m. pl.,* expenses; **frais de travail,** overhead
la **fraise,** strawberry; **fraises à gros fruits,** large-sized strawberries
le **franc,** franc, (*French money*)
le **français,** French (language)
**français, –e,** French
le **Français,** Frenchman
la **France,** France; **Ile de France,** province of ancient France, the capital of which was Paris
**franchement,** frankly
**frapper,** to knock, strike
**Frédéric II,** Frederick the Great, 1712–1786, king of Prussia from 1740–1786, famous warrior and skillful administrator, who laid the foundations of German national strength
**frêle,** thin, frail, weak
**frémir,** to tremble, shiver
le **frère,** brother
**frétiller,** to quiver, wag, wiggle
**friand, –e,** tempting, dainty
**friser,** to curl
**frisé, –e,** curly
**frivole,** frivolous
le **froid,** cold; **il fait froid,** it is cold
le **front,** brow, forehead
la **frontière,** frontier
**frotter,** to rub

**fait, –e** (**faire**), made, done, had, caused
il **fait** (**faire**), he makes, does make, does do, does, is doing, takes, says, it is (*of weather*); **il fait noir,** it is dark
vous **faites** (**faire**), you are doing, are making, do, make
**faites!** (**faire**), do! make! **faites monter!** show up! bring up! **faites sortir!** show out! send away!
il **fallait** (**falloir**), it was necessary
**falloir,** to be necessary
il **fallut** (**falloir**), had to, it was necessary to
**familiariser,** to make familiar, familiarize
la **famille,** family
le **fardeau,** burden
nous **fassions** (**faire**), we make
la **fatigue,** fatigue, weariness
**fatigué, –e,** weary, tired
**fatiguer,** to tire, weary; **se fatiguer,** to get tired, become weary, wear oneself out
il **faudrait** (**falloir**), it would be necessary, he ought
il **faut** (**falloir**), we must, one must, it is necessary, it is needed; **il ne faut pas,** one must not; **il te faut,** you need; **que nous faut-il?** what do we need? **il faut savoir,** one must know; **il me faut,** I must, need, it takes me; **il nous faut,** we need, do need
la **faute,** fault
le **fauteuil,** armchair
**faux, fausse,** false
le **favori,** pet
**favori, –te,** favorite
les **favoris,** *m. pl.*, whiskers
la **femme,** wife, woman; **femme de chambre,** lady's maid
la **fenêtre,** window
la **fente,** crack
il **fera** (**faire**), he will do, will make, will take
il **ferait** (**faire**), he would do, would make
la **ferme,** farm
**fermer,** to close, shut; **fermer à clef,** to lock
le **fermier,** farmer
la **fête,** feast, festival, birthday; **en fête,** in a merry mood; **bonne fête,** happy birthday; **pour sa fête,** for her birthday
le **feu,** fire; **feu de bois,** wood fire
le **feuillage,** foliage
la **feuille,** leaf
le **feutre,** felt
**fiancé, –e,** engaged
**fier, fière,** proud
la **figure,** face
se **figurer,** to imagine
le **fil,** thread
la **fille,** girl, daughter; **la jeune fille,** girl
le **fils,** son
**fin, –e,** fine, delicate, shrewd
la **fin,** end; **une fin de journée,** the end of a day; **à la fin,** finally
**finalement,** finally
le **financier,** financier
**financier, financière,** financial
la **finesse,** fineness
**finir,** to finish, end
ils **firent** (**faire**), they made
la **fissure,** crack
il **fit** (**faire**), he had made, did do, took; **il fit bâtir,** he had ... built, ordered to be built; **il fit passer,** he had passed; **il fit entourer,** he had sur-

le **fruit,** fruit
la **fuite,** flight
**fumer,** to smoke
ils **furent** (**être**), they were
la **fureur,** fury
**furieux, furieuse,** furious
**furtivement,** furtively
il **fut** (**être**), he was

G

**gagner,** to get to, gain
**gai, –e,** gay, merry
le **gaillard,** fine fellow
la **gaîté,** gayety
la **galerie,** gallery
**galoper,** to galop
le **gamin,** gamin, urchin
**garantir,** to guarantee
le **garçon,** boy, waiter, fellow; **le garçon boucher,** the butcher boy; **garçon de la campagne,** country boy
la **garde,** care, guard; **prendre garde,** to be careful, beware
le **garde,** guard
**garder,** to keep; **se garder bien de,** to take good care not to
le **gardien,** watchman
la **gare,** station
le **gâteau,** cake
**gâter,** to spoil; **se gâter,** to be spoiled
le **gendarme,** policeman
**gêné, –e,** embarrassed
**général, –e,** general; **en général,** in general
**généreux, généreuse,** generous
la **générosité,** generosity
**Genève,** Geneva, capital of Switzerland
le **genou,** knee; **à genoux,** on one's knees
le **genre,** kind
les **gens,** *m. pl.*, people; **les jeunes gens,** young folks
**gentil, gentille,** nice
le **gentilhomme,** gentleman
la **gentillesse,** kindness
le **géranium,** geranium
le **geste,** gesture, motion, movement
**gesticuler,** to gesticulate
le **gilet,** vest
**glacé, –e,** icy
se **glisser,** to slip
le **gond,** hinge
le **goujat,** cad
**gourmand, –e,** greedy; *as noun*, gourmand
le **gourmet,** epicure
le **goût,** taste
**goûter,** to taste
la **goutte,** drop
le **gouvernement,** government
**gouverner,** to govern
la **grâce,** grace
**grâce à,** thanks to
la **graisse,** grease
**graisser,** to grease
la **grammaire,** grammar
**grand, –e,** grand, big, large, tall, great; **plus grand,** greater, greatest
**grandir,** to grow
le **grand-père,** grandfather
**gras, grasse,** fat
la **gratitude,** gratitude
**gravement,** gravely
**gré: à son gré,** at his will, as he pleases
**grêle,** shrill
le **grenier,** attic
**griller,** to roast
**grimper,** to climb
**gris, –e,** gray
**gronder,** to scold
**gros, grosse,** big

**grossier, grossière,** coarse
le **groupe,** group
**guère: ne . . . guère,** scarcely, hardly
**guéri, -e,** cured
le **guéridon,** round table
la **guerre,** war; **en guerre,** at war
**guetter,** to watch, spy upon
le **guetteur,** watcher
le **guide,** guide
**guider,** to guide
la **guitare,** guitar

### H

All words in which the "h" is aspirated are marked with an asterisk.

**habiller,** to dress; **s'habiller,** to get dressed
l'**habit,** *m.*, coat; **les habits,** clothes; **en habit de soirée,** in evening dress
l'**habitant,** *m.*, inhabitant
**habiter,** to live in, live
l'**habitude,** *f.*, habit; **prendre l'habitude de,** to make it a habit to; **avoir l'habitude de,** to be in the habit of, be accustomed to
**habitué, -e,** accustomed
**habituel, habituelle,** habitual
*la **haine,** hatred
l'**haleine,** *f.*, breath
***hardi, -e,** bold, fearless
l'**harmonie,** *f.*, harmony
*le **hasard,** chance; **par hasard,** by any chance
***hasarder,** to risk
***hausser,** to shrug; **hausser les épaules,** to shrug one's shoulders
***haut, -e,** high; **le plus haut,** the highest
*le **haut,** top
***hélas,** alas
l'**herbe,** *f.*, grass
*se **hérisser,** to stand up, bristle
l'**héroïne,** *f.*, heroine
*le **héros,** hero
**hésiter,** to hesitate
l'**heure,** *f.*, hour, time, o'clock; **tout à l'heure,** later, right away, just now
**heureux, heureuse,** happy, glad, lucky
***heurter,** to bump
**hier,** yesterday
l'**histoire,** *f.*, story, history
**historique,** historical
***hocher,** to shake
*la **Hollande,** Holland
l'**hommage,** *m.*, regard, respect
l'**homme,** *m.*, man; **homme du pays,** native; **jeune homme,** young man; **en homme discret,** being a discreet man
*la **Hongrie,** Hungary
l'**honneur,** *m.*, honor
**honorer,** to honor
*la **honte,** shame; **avoir honte,** to be ashamed
**hostile,** hostile
l'**hôtel,** *m.*, hotel; **hôtel de ville,** city hall
*la **hotte,** basket (*carried on the back*)
*la **huée,** shout, jeer
**Hugo,** Victor, 1802–1885, the most famous French poet and dramatist of the nineteenth century. Among his well-known works are the plays *Hernani*, *Ruy Blas*, *Le Roi s'amuse;* the collections of poems *Les Contemplations*, *Odes et Ballades*, *La Légende des siècles;* and the novels *Les Misérables* and *Notre-Dame de Paris*.

l'**huile**, *f.*, oil
**humain, -e**, human
**humble**, humble
l'**humeur**, *f.*, humor
**humide**, humid, damp

## I

**ici**, here, come here, this is
l'**idée**, *f.*, idea
l'**identité**, *f.*, identity
l'**idiot**, *m.*, idiot
**idiot, -e**, idiotic
s'**ignorer**, to ignore
**il**, it, he, there
l'**île**, *f.*, island; **Ile-de-France**, province of ancient France, the capital of which was Paris
**ils**, they
**il y a**, there is, there are, ago
l'**image**, *f.*, image
l'**imagination**, *f.*, imagination
**imaginer**, to imagine; **s'imaginer**, to imagine
**imiter**, to imitate
**immédiatement**, at once, immediately
l'**impatience**, *f.*, impatience; **avec impatience**, impatiently
l'**importance**, *f.*, importance
**important, -e**, important
**imposer**, to impose
l'**imposteur**, *m.*, imposter
**imprenable**, impregnable
l'**impression**, *f.*, impression
**imprimer**, to impress, print
l'**imprudence**, *f.*, imprudence
**imprudent, -e**, imprudent
l'**incendie**, *m.*, fire, conflagration
**incessamment**, constantly
s'**incliner**, to bow
**inconnu, -e**, unknown
l'**inconnue**, *f.*, unknown girl
**inculte**, uncultivated
**indécis, -e**, indefinite, uncertain
l'**indépendance**, *f.*, independence
**indépendant, -e**, independent
l'**indication**, *f.*, indication
l'**indigestion**, *f.*, indigestion
**indigné, -e**, indignant
**indiquer**, to indicate, point to *or* at
**indiscret, indiscrète**, indiscreet
**indispensable**, indispensable
l'**indisposition**, *f.*, illness
**indulgent, -e**, indulgent
**infatigable**, untiring
**inférieur, -e**, lower, inferior
l'**infini**, *m.*, infinite; **à l'infini**, endlessly
**infini, -e**, infinite
**infiniment**, a great deal
s'**informer**, to inform oneself
l'**ingénieur**, *m.*, engineer; **l'ingénieur agronome**, agricultural expert
l'**injustice**, *f.*, injustice
**innocent, -e**, innocent
**inquiet, inquiète**, restless
s'**inquiéter**, to grow restless, be worried
l'**inquiétude**, *f.*, disquiet, worry
**insignifiant, -e**, insignificant
**insipide**, insipid
**insister**, to insist
**insouciant, -e**, carefree, careless
l'**inspecteur**, *m.*, inspector
**inspirer**, to inspire
**installer**, to install, locate; **s'installer**, to sit down, take one's place
l'**instant**, *m.*, moment
l'**institution**, *f.*, institution
**instructif, instructive**, instructive
l'**instrument**, *m.*, tool, instru-

ment; **instrument de toilette,** toilet article
l'**intellectuel,** *m.*, intellectual
l'**intelligence,** *f.*, intelligence
**intelligent, –e,** intelligent; **peu intelligent,** of little intelligence
l'**intendance,** *f.*, management, direction
l'**intendant,** *m.*, steward
**intense,** intense
l'**intention,** *f.*, intention; **avoir l'intention de,** to intend to
**intéressant, –e,** interesting
**intéresser,** to interest; **s'intéresser (à),** to be interested (in)
l'**intérêt,** *m.*, interest
l'**intérieur,** *m.*, interior; **à l'intérieur de,** inside; **à l'intérieur,** within
**interroger,** to ask, question
**intimement,** intimately
**intrigué, –e,** intrigued
**introduire,** to lead into, show in, introduce
il **introduit (introduire),** he shows into
**introduit, –e (introduire),** introduced
**intervenir,** to intervene, come between
il **intervient (intervenir),** he intervenes
**intolérable,** intolerable
**inventer,** to invent
l'**invitation,** *f.*, invitation
l'**invité,** *m.*, guest
**inviter,** to invite
il **irait (aller),** he would go
**irisé, –e,** iridescent
**irriter,** to irritate
**isolé, –e,** isolated
l'**issue,** *f.*, issue; **à l'issue de,** on leaving, after
l'**Italie,** *f.*, Italy
**italien, italienne,** Italian
l'**Italien,** *m.*, Italian

## J

**jaloux, jalouse,** jealous
**jamais,** ever, never; **ne . . . jamais,** never
la **jambe,** leg
le **jambon,** ham
**japonais, –e,** Japanese
le **jardin,** garden
le **jardinage,** gardening
le **jardinier,** gardener
**je,** I
**Jean,** John
**Jeanne d'Arc,** 1412–1431, heroine who rescued France from the English invaders after leading the French army to victory at Orleans and getting her king crowned at Rheims. She was betrayed to the English, accused of being a witch, and burned at the stake in Rouen at the age of nineteen years.
**jeter,** to throw, put
il **jette (jeter),** he throws
ils **jettent (jeter),** they throw
**jeune,** young; **la jeune fille,** girl
la **jeunesse,** youth, young people
**joli, –e,** pretty
la **joue,** cheek
**jouer,** to play; **jouer de la flûte,** to play the flute; **jouer aux cartes,** to play cards
le **jour,** day, daylight; **le jour tombait,** dusk was falling; **tous les jours,** every day; **de nos jours,** today
le **joueur d'orgue,** organ grinder
le **journal,** newspaper

la **journée**, day; **toute la journée**, all day long
**joyeux, joyeuse**, joyous
**juger**, to judge
**juin**, *m.*, June
le **juré**, jury, member of the jury
**jurer**, to swear
le **jus de cerise**, cherry cider, cherry juice
**jusqu'à**, to, up to
**jusqu'à ce que**, until
**juste**, just, precisely
**justifier**, to justify
**juteux, juteuse**, juicy

L

**l' = le, la**
**là**, there, yonder, here; **je suis là pour dire**, I can tell you right here
**la**, the, her, it
le **lac**, lake
**lâcher**, to let go
**là-dedans**, in there
**là-dessus**, over it, on those
**laid, -e**, ugly
la **laideur**, ugliness
**laisser**, to let, leave; **laisser tomber**, to drop; **se laisser aller**, to yield; **laisser perdre**, to let go to waste
le **lait**, milk
la **laiterie**, dairy
le **lambeau**, rag; **en lambeaux**, in tatters
la **lampe**, lamp; **lampe de poche**, flashlight
**lancer**, to hurl, rush, shoot
le **langage**, language
la **langue**, tongue, language
la **lanterne**, lantern
le **lapin**, rabbit
la **larme**, tear
**las, lasse**, tired
le **latin**, Latin
**latin, -e**, Latin
**La Tour**, Maurice Quentin de, 1704–1788, famous French painter noted for his pastel portraits
**laver**, to wash
le **laveur (de chiens)**, (dog) washer
**le**, the, him, it, so
la **leçon**, lesson; **faire la leçon à**, to teach, lecture
la **lecture**, reading
**léger, légère**, light, weak, slight, frivolous; **plus léger**, lighter
la **légèreté**, lightness
le **légume**, vegetable
le **lendemain**, the next day; **le lendemain matin**, the next morning
**Le Nôtre**, André, 1613–1700, famous landscape gardener
**lentement**, slowly
**lequel, laquelle, lesquels, lesquelles**, which, what, which one
**les**, the, them
la **lèse-majesté**, lese-majesty, high treason
la **lettre**, letter
**leur**, them, to them, their
il **lève (lever)**, he raises
je **me lève (se lever)**, I get up
il **se lève (se lever)**, he gets up, goes up
**lever**, to raise; **se lever**, to get up, go up
le **lever**, going up, rising
la **lèvre**, lip
la **liberté**, liberty
**libre**, free, empty
se **lier**, to bind oneself
le **lieu**, place; **en premier lieu**,

in the first place; **au lieu de,** instead of
le **lieutenant,** lieutenant
la **ligne,** line
la **limite,** limit
le **liquide,** liquid
**lire,** to read
je **lis** (**lire**), I read
il **lisait** (**lire**), he used to read, was reading, read
**lisant** (**lire**), reading
ils **lisent** (**lire**), they read, do read, are reading
nous **lisons** (**lire**), we read
**lisse,** smooth, glossy
la **liste,** list
il **lit** (**lire**), he reads, is reading
le **lit,** bed; **au lit,** in bed
**littéraire,** literary
la **littérature,** literature
la **livre,** pound (*also* pound *referring to English money*)
le **livre,** book
**livrer,** to deliver
la **loi,** law
**loin,** far; **le loin,** distance; **au loin,** in the distance; **de loin,** from afar; **loin de,** far from; **plus loin,** farther
**lointain, –e,** distant
**long, longue,** long; **au long nez,** with a long nose; **le long de,** along; **le long des routes,** along the roads
**longtemps,** long, long time; **plus longtemps,** longer
la **longueur,** length
**lorrain, –e,** of *or* from Lorraine
la **Lorraine,** Lorraine, province in northeastern France
**lorsque,** when
**louer,** to rent
**Louis XIV,** the Great, son of Louis XIII and of Anne of Austria, ruled as absolute monarch of France from 1639 to 1715. He married the infanta of Spain, Marie-Thérèse, in 1660. He is famous as a skillful ruler, builder of Versailles, patron of the arts and letters. In 1684, after the death of Marie-Thérèse, he secretly married Mme. de Maintenon. His age is known as one of the greatest creative periods in French history.
**Louis XV,** 1710–1774, great-grandson of Louis XIV, libertine and weak ruler, who brought France to the state of bankruptcy and corruption that precipitated the French Revolution
**Louis-Philippe,** born in 1773; king of France from 1830 to 1848. He died in 1850.
**lourd, –e,** heavy, weighty
**lui,** he, him, to him, from him, for him, of him, for her, of her, to her; **c'est à lui,** it belongs to him *or* her; **lui-même,** himself
**luire,** to shine
ils **luisaient** (**luire**), they used to shine, were shining, shone
la **lumière,** light
les **lunettes,** *f. pl.*, glasses, spectacles
il **lut** (**lire**), he read
le **luxe,** luxury
**luxueusement,** luxuriously
le **lyrisme,** poetic enthusiasm

## M

**m'** = **me**
**ma,** my
la **machine,** machine, bicycle
**madame,** madam, Mrs.

le **magasin,** store
la **magie,** magic
**magnifique,** magnificent
**magnifiquement,** magnificently
**maigre,** thin
**maigrir,** to grow thin, reduce
la **main,** hand; **à la main,** in his hand; **haut les mains!** hands up! **la main tendue,** with outstretched hand
**maintenant,** now
**Maintenon, Mme de,** Françoise d'Aubigné, Marquise de, 1635–1719, wife of Louis XIV after the death of Marie-Thérèse
**mais,** but, why
la **maison,** house, home
le **maître,** master, lord; **le maître d'hôtel,** butler, steward; **maître-maçon,** master mason
la **maîtresse,** mistress
la **majesté,** majesty
**majestueux, majestueuse,** majestic
la **majorité,** majority
**mal,** badly, bad
le **mal,** harm, evil; **faire mal à,** to hurt
**malade,** sick, ill; *as noun,* patient, sick person
la **maladie,** illness
**maladroit, -e,** awkward
**malgré,** in spite of
le **malheur,** misfortune
**malheureusement,** unfortunately
**malheureux, malheureuse,** unhappy, miserable
la **malice,** mischievousness, roguishness, prank, malice, maliciousness
la **malle,** trunk
**malpropre,** dirty
**maman,** mama, mamma
le **manchon,** muff
**manger,** to eat
la **manière,** manner, way; **de manière,** in a way
la **manivelle,** handle
**manquer (de),** to be lacking (in), miss
**Mansart,** Jules Hardouin-, 1646–1708, architect of Louis XIV; constructed the palace of Versailles
le **manteau,** coat; **manteau de voyage,** traveling coat; **manteau de fourrure,** fur coat
le **manuscrit,** manuscript
le **maraudeur,** filcher, petty thief
**marbre,** marble
le **marchand,** merchant
la **marche,** walk, walking; **il se met en marche,** he starts out walking
le **marché,** market
**marcher,** to walk, march; **en marchant,** while walking
la **mare,** pool
le **maréchal,** marshal
la **marguerite,** daisy
le **mari,** husband
le **mariage,** marriage
**Marie-Thérèse,** daughter of Philip IV, king of Spain. Marie-Thérèse married Louis XIV in 1660. She died in 1683.
la **mariée,** bride; **la nouvelle mariée,** the newlywed
**marier,** to marry
la **marionnette,** marionette, puppet
la **marque,** mark
**marquer,** to mark
le **marquis,** marquis
la **marquise,** marchioness
le **matériel,** material

**maternel, maternelle,** maternal
la **matière,** matter
le **matin,** morning
**mauvais, –e,** bad, evil; **le plus mauvais morceau,** the worst piece
**me,** me, to me, for me, myself, to myself
**méchant, –e,** malicious, naughty, bad, displeased
la **mèche,** strand (of hair)
le **médecin,** doctor
**médiocre,** mediocre
la **méfiance,** distrust
**meilleur, –e,** better, best
se **mêler (de),** to mix, mingle (with); **de quoi vous mêlez-vous?** what business is it of yours?
**même,** same, even, self, very
les **menottes,** *f. pl.*, handcuffs
le **menu,** menu
**merci,** thank you
la **mercière,** haberdasher
la **mère,** mother
le **mérite,** merit
**mériter,** to deserve
le **merle,** blackbird
**merveilleux, merveilleuse,** wonderful
**mes,** my
le **message,** message
le **messager,** messenger
**messieurs,** *m. pl.*, gentlemen
il **met (mettre),** he puts, does put, makes, puts on; **il se met à,** he begins
le **métier,** profession, trade, occupation
le **mètre,** meter
**mets! (mettre),** put!
ils **mettaient (mettre),** they used to put, were putting, put
il **mettait (mettre),** he used to put, was putting, put
ils **mettent (mettre),** they put
**mettre,** to place, put, put on; **se mettre au travail,** to set to work; **se mettre,** to start out, place oneself; **se mettre à son aise,** to make oneself comfortable; **se mettre à,** to begin to
les **meubles,** *m. pl.*, furniture
il **meurt (mourir),** he dies
**Michel,** Michael
le **miel,** honey
**mieux,** better, best; **tant mieux,** so much the better
le **milieu,** middle, milieu, environment; **au milieu de,** in the midst (middle) of
**mille,** thousand
**mince,** thin
la **mine,** mien; **de vous voir si bonne mine,** to see you look so well
le **ministre,** minister
la **minute,** minute
**miraculeux, miraculeuse,** miraculous
ils **mirent,** they put, placed; **ils se mirent à (se mettre à),** they began to; **ils se mirent à quatre pattes,** they went down on all fours
le **miroir,** mirror
je **mis (mettre),** I put
**mis, –e (mettre),** placed, put
**misérable,** wretched, miserable
la **misère,** misery, wretchedness
le **miséreux,** poor wretch, beggar
la **mission,** mission
il **mit (mettre),** he put; **il se mit à,** he began; **il se mit à l'œuvre,** he set to work

la **mode,** style, fad; **à la dernière mode,** in the latest style
le **modèle,** model
**moderne,** modern
**modeste,** modest
**moi,** I, me, to me, for me; **à moi,** mine; **moi aussi,** I, too
**moi-même,** myself
**moindre,** lesser, least, slightest
**moins,** less, least; **le moins,** the least; **à moins de,** unless; **au moins,** at least
le **mois** month; **par mois,** per month
la **moisson,** harvest
la **moitié,** half
le **moment,** moment; **à partir de ce moment,** from that moment on; **en ce moment,** just now
**mon,** my
le **monarque,** monarch
le **monde,** world, people; **tout le monde,** everybody; **tout ce monde,** all these people
la **monnaie,** money, change
**Monsieur,** Sir, Mr.
le **monsieur,** gentleman
la **montagne,** mountain
**monter,** to go up (stairs), come up, go up, climb, arise, rise; **je suis monté chez vous,** I went up to see you; **faites monter!** fetch!
**montrer,** to show
le **monument,** monument, historical spot, famous building
se **moquer de,** to make fun of
**moqueur, moqueuse,** mocking
**moral, –e,** moral
le **morceau,** piece, bit, morsel
la **mort,** death
**mort, –e,** dead; **il est mort,** he is dead; **le mort,** dead man
le **mot,** saying, word, note, sentence, dictum; **sans mot dire,** without saying a word
le **mouchoir,** handkerchief
**mourir,** to die; **faire mourir,** to cause to die
il **mourut (mourir),** he died
le **mousquetaire,** musketeer
les **moustaches,** *f. pl.*, mustache
le **mouton,** sheep; **mouton d'argent,** silver sheep
le **moyen,** way, means
**muet, muette,** dumb, mute, silent
le **mur,** wall
**mûr, –e,** ripe
la **muraille,** wall
**murmurer,** to murmur, grumble, mutter
la **muse,** Muse
le **musée,** museum
**musical, –e,** musical
le **musicien,** musician
la **musique,** music

## N

la **nage,** swimming; **traverser à la nage,** to swim across
**naïf, naïve,** simple, naïve
**naissant, –e (naître),** rising
**naître,** to be born
la **naïveté,** simplicity, naïveté
**Napoléon,** 1769–1821. Napoleon Bonaparte became emperor of the French after an amazing career and many distinguished military victories. Defeated by the English at the Battle of Waterloo, he was exiled to the island of St. Helena, where he died in 1821.
**narguer,** to beard, defy
**natal, –e,** native
**national, –e,** national
la **nature,** nature

**naturellement**, naturally
le **navet**, turnip
**navré, -e**, torn
**ne: ne . . . rien**, nothing, not anything; **ne . . . pas**, not; **ne . . . que**, only, nothing but; **ne . . . ni . . . ni**, neither . . . nor; **ne . . . plus**, no more, no longer; **ne . . . guère**, hardly, scarcely; **ne . . . jamais**, never, not ever; **ne . . . aucun**, no, none, not any; **ne . . . point**, not at all
**néanmoins**, nevertheless
**nécessaire**, necessary
**négligemment**, carelessly
la **neige**, snow
**neigeux, neigeuse**, snowy, snow-covered
**nerveux, nerveuse**, nervous
**n'est-ce pas?** isn't it? don't you think so?
**nettement**, clearly, neatly
**neuf**, nine
le **neveu**, nephew
le **nez**, nose; **au long nez**, with a long nose
**ni . . . ni**, neither . . . nor
**niché, -e**, cuddled
la **nièce**, niece
**nier**, to deny
le **nigaud**, simpleton
**noble**, noble
la **noblesse**, nobility
**noblement**, nobly
**noir, -e**, black, dark; **il fait noir**, it is dark
le **nom**, name
**nombreux, nombreuse**, numerous, many
**nommer**, to name
**non**, no, not; **mais non**, why no
**nos**, our
la **note**, note, bill
**notre**, our
**nouer**, to tie
**nourrir**, to feed
la **nourriture**, food
**nous**, we, us, to us, for us; **nous autres**, we
**nouveau, nouvel, nouvelle**, new; **de nouveau**, again
le **nouveau venu**, newcomer
la **nouvelle**, news
**nouvelle**, *see* **nouveau**
**nu, -e**, bare, naked
le **nuage**, cloud
la **nuit**, night; **toute la nuit**, all night long; **il fait nuit**, it is dark, it is night; **cette nuit**, last night
le **numéro**, number

## O

**obéir**, to obey
l'**obligeance**, *f.*, kindness, favor
**obliger**, to oblige
l'**obscurité**, *f.*, darkness
l'**observation**, *f.*, observation, remark
s'**obstiner (à)**, to persist (in)
il **obtenait (obtenir)**, he used to get, was getting, got
**obtenir**, to get, obtain
**obtenu, -e (obtenir)**, obtained
l'**occasion**, *f.*, bargain, opportunity; **à l'occasion**, on occasion
**occupé, -e**, busy, occupied
**occuper**, to occupy; **s'occuper de**, to be busy with
l'**odeur**, *f.*, odor
l'**œil**, *m.*, eye
l'**œillet**, *m.*, carnation, pink
l'**œuf**, *m.*, egg
l'**œuvre**, *f.*, work; **œuvre d'art**, work of art
**officiel, officielle**, official

l'**officier**, *m.*, officer
il **offrait** (**offrir**), he used to offer, was offering, offered
il **offre** (**offrir**), he offers
**offrir**, to offer; **s'offrir**, to offer, be offered, be displayed, be shown, show itself
l'**oiseau**, *m.*, bird
l'**ombre**, *f.*, shadow, trace
l'**omelette**, *f.*, omelet
**on** (**l'on**), one, someone, we, you, they, people
l'**oncle**, *m.*, uncle
ils **ont** (**avoir**), they have
l'**opéra**, *m.*, opera
l'**opinion**, *f.*, opinion
l'**or**, *m.*, gold
**orageux**, **orageuse**, stormy
**ordonner**, to order
l'**ordre**, *m.*, order, command
l'**oreille**, *f.*, ear
**organiser**, to organize
**orgueilleux**, **orgueilleuse**, proud
**originaire**, native
l'**original**, *m.*, eccentric
**original**, **–e**, original, peculiar
l'**origine**, *f.*, origin
l'**orthographe**, *f.*, spelling
**oser**, to dare
**ôter**, to take off
**ou**, or
**où**, where, in which, into which, when, which, on which, to which; **d'où**, from where, whence
**oublier**, to forget
**oui**, yes
**ouvert**, **–e** (**ouvrir**), open, opened
l'**ouverture**, *f.*, opening, overture
l'**ouvrage**, *m.*, work
j'**ouvre** (**ouvrir**), I open
il **ouvre** (**ouvrir**), he opens; **il s'ouvre**, it opens, is opened
**ouvrir**, to open; **s'ouvrir**, to open, be opened
il **s'ouvrit** (**s'ouvrir**), it opened

## P

la **page**, page
la **paie**, pay
il **paie** (**payer**), he pays, pays for, is paying for
le **pain**, bread
la **paire**, pair
**paisible**, peaceful
la **paix**, peace
le **palais**, palace
**pâle**, pale
le **pamphlet**, pamphlet
le **panier**, basket
les **pantoufles**, *f. pl.*, slippers
le **papa**, papa, father
le **pape**, Pope
le **papier**, paper
le **paquet**, package
**par**, by, through, per, with
le **paradis**, paradise
**paraître**, to seem, appear; **à ce qu'il paraît**, so it seems
**paralysé**, **–e**, paralysed
le **parc**, park
**parce que**, because
il **parcourait** (**parcourir**), he used to traverse, was traversing, traversed
ils **parcourent** (**parcourir**), they traverse, scan
**parcourir**, to traverse, scan
ils **parcoururent** (**parcourir**), they scanned, traversed, crossed
**par-dessus**, over, above
**pardon**, I beg your pardon: **je vous demande pardon**, I beg your pardon
**pardonnable**, pardonable

**pardonner (à),** to pardon
la **paresse,** sloth, laziness
**paresseux, paresseuse,** lazy
**parfait, -e,** perfect
**parfaitement,** perfectly
**parfois,** sometimes
le **parfum,** perfume, aroma, flavor
**parier,** to bet
**Paris,** *m.*, Paris
**parisien, parisienne,** Parisian
**parler,** to speak, talk
**Parmentier, Parmentière,** Parmentier (*as adjective*)
**parmi,** among
la **parole,** word, sentence
la **part,** share; **de la part de,** on behalf of, for
**partager,** to share, divide
**parti, -e (partir),** left, gone away
la **particularité,** peculiarity
**particulièrement,** particularly
la **partie,** part
**partir,** to go away, leave, depart; **à partir de,** from . . . on
ils **partirent (partir),** they left, departed
**partout,** everywhere
**paru, -e (paraître),** appeared, seemed
il **parut (paraître),** he appeared, seemed
**parvenir,** to come, reach, succeed
il **parvient (parvenir),** he comes, succeeds
**pas,** not; **pas du tout,** not at all
le **pas,** footstep, threshold; **des pas pressés,** hurried steps
le **passage,** passage, way
le **passant,** passer-by
**passer,** to pass, pass out, happen, land, spend; **se passer,** to pass, go by, elapse, take place; **que se passe-t-il?** what is going on? **ce qui s'y passait,** what was going on there
le **pastel,** pastel, crayon
la **pâte,** paste
la **patience,** patience
le **patron,** master, "boss"
la **patte,** paw; **à quatre pattes,** on all fours
**pauvre,** poor
la **pauvreté,** poverty
le **pavé,** pavement; **les pavés,** paving blocks
**payer,** to pay, pay for; **se faire payer,** to get paid for
le **pays,** country, region, land; **homme du pays,** native
la **paysanne,** peasant girl
la **peau,** skin
la **pêche,** fishing; **je vais à la pêche,** I go fishing
**pêcher,** to fish
je **peindrai (peindre),** I shall paint
il **peignait (peindre),** he used to paint, was painting, painted
il **peignit (peindre),** he painted, did paint
**peindre,** to paint
la **peine,** pain, trouble; **avoir peine à,** to be loath to; **faire de la peine à (quelqu'un),** to cause pain to (anyone)
**peine: à peine,** scarcely, hardly
**peint, -e (peindre),** painted
le **peintre,** painter
la **peinture,** painting
la **pelle,** shovel
se **pencher,** to lean
**pendant,** for, during; **pendant que,** while
le **pendant d'oreille,** earring

**pénétrant, –e,** penetrating
**pénétrer,** to penetrate, go through
**pénible,** painful
la **pensée,** thought
**penser (à),** to think (of); **penser (de),** to think (of) (have an opinion about), plan; **penser au retour,** to think of going home
**pensif, pensive,** thoughtful
la **pension,** boarding house, pension
**perché, –e,** perched
le **perchoir,** perch
**perdre,** to lose, waste; **laisser perdre,** to let go to waste
le **perdreau,** partridge
le **père,** father
la **perfection,** perfection
la **perle,** pearl
il **permet (permettre),** he permits
**permets! (permettre),** permit!
je me **permets (permettre),** I take the liberty
ils **permettaient (permettre),** they used to permit, were permitting, permitted, made it possible
il **permettait (permettre),** he used to permit, was permitting, permitted
vous **permettez (permettre),** you allow, permit
**permettez! (permettre),** permit! allow!
je **permettrai (permettre),** I shall permit
**permettre (à),** to permit, allow; **se permettre,** to permit oneself, allow oneself, take the liberty
**permis, –e (permettre),** permitted, allowed
le **permis,** permit
le **perroquet,** parrot
la **perruque,** wig
**persister,** to persist
le **personnage,** character
la **personne,** person; **ne . . . personne,** no one, nobody; **personne,** no one, anyone
**pessimiste,** pessimistic
**pétiller,** to glisten, crackle
**petit, –e,** little, small, faint; *as noun*, little one
le **petit-fils,** grandson
**peu,** little, bit, not very; **peu à peu,** little by little, gradually; **peu après,** shortly afterward; **peu de,** little
le **peuple,** people
le **peuplier,** poplar
la **peur,** fear; **de peur de,** for fear of; **avoir peur de,** to be afraid of
il **peut (pouvoir),** he can, it may; **cela se peut,** that may be
**peut-être,** perhaps
ils **peuvent (pouvoir),** they can, may
je **peux (pouvoir),** I can
tu **peux (pouvoir),** you can
**Pharaon,** Pharaoh
**Philippe,** Philip
le **philosophe,** philosopher
la **pièce,** room, play, piece; **pièce d'or,** gold piece; **pièce d'argent,** silver coin; **pièce de théâtre,** play; **pièce de monnaie,** coin
le **pied,** foot
la **pierre,** stone
le **piétinement,** tramping
le **pilier,** pillar
**piller,** to pillage
le **pinceau,** small brush, pencil, stroke, line, streak

la **pipe,** pipe
la **piqûre,** prick; **piqûre d'épingle,** pin prick
**pire,** worse
**pis,** worse; **tant pis,** too bad
la **pitié,** pity; **tu me fais pitié,** I am sorry for you
**pittoresque,** picturesque
le **placard,** closet
la **place,** seat
**placer,** to place, put
le **plafond,** ceiling
se **plaindre,** to complain
la **plaine,** plain
tu te **plains (de) (se plaindre),** you are complaining about
il se **plaint (se plaindre),** he is complaining, does complain, complains
il **plaira (plaire),** he will please
**plaire,** to please
ils **plaisaient (plaire),** they used to please, were pleasing, pleased
il se **plaisait (se plaire),** he enjoyed himself, was happy
la **plaisanterie,** joke
le **plaisir,** pleasure, favor; **me faire le plaisir de,** to do me the favor to; **faire plaisir à,** to please; **avec plaisir,** gladly; **c'est plaisir,** it is a pleasure
il **plaît (plaire),** he pleases; **s'il vous plaît,** please; **il vous plaît,** you like him
le **plan,** plan
le **plancher,** floor
la **plantation,** plantation
la **plante,** plant
**planter,** to plant, place, clap on
le **plat,** dish, plate, course
**plat, –e,** flat; **à plat ventre,** flat on their stomachs
la **plate-bande,** flower bed
**plein, –e,** full
le **pleur,** tear
**pleurer,** to cry
il **pleut (pleuvoir),** it is raining
il **pleuvait (pleuvoir),** it was raining
**pleuvoir,** to rain; **faire pleuvoir,** to pour
**plié, –e,** folded, bent; **plié en deux,** doubled up
le **plomb,** lead
**plonger,** to plunge
la **pluie,** rain
la **plupart,** majority; **la plupart d'entre eux,** most of them
**plus,** more, most, no more; **au plus,** at the most; **de plus,** more, moreover; **ne . . . plus,** not . . . any more, no longer; **plus loin,** farther; **le plus grand,** the greatest; **de plus en plus,** more and more; **plus ou moins,** more or less
**plusieurs,** several
la **poche,** pocket
le **poème,** poem
**poeshie = poésie**
la **poésie,** poetry
le **poète,** poet
**poétique,** poetic
**poignarder,** to stab
la **poignée,** handful
le **poil,** hide, hair
le **poing,** hand, fist; **épée au poing,** sword in hand
le **point,** point
la **poire,** pear
le **poisson,** fish
la **poix,** pitch
**poli, –e,** polite
la **police,** police
le **policier,** policeman
la **politesse,** politeness
la **pomme,** apple; **pomme d'or,** golden apple

la **pomme de terre,** potato
la **Pompadour,** Antoinette Poisson, Marquise de Pompadour, 1721–1764, favorite of Louis XV, patroness of great artists and writers of her time
la **pompe,** pump
le **pompier,** fireman
le **pont-levis,** drawbridge
**populaire,** popular
la **population,** people, population
**populeux, populeuse,** populous
le **porc,** pig
la **porte,** door; **la porte d'entrée,** the front door, entrance; **la porte-revolver,** revolving door; **porte-fenêtre,** French window
**porter,** to carry, bear, wear; **se porter bien,** to be well
le **porteur,** bearer, porter
le **portier,** doorman
la **portion,** portion
le **portrait,** portrait
**poser,** to place, set, lay, pose; **faire poser,** to have put down; **poser une question,** to ask a question; **poser des conditions,** to state conditions, stipulate
**possible,** possible
le **pot,** flowerpot
le **potage,** soup
**Potsdam,** German town near Berlin, famous for its royal palace, *Sans-Souci*
le **poulet,** chicken
le **pouls,** pulse
la **poupée,** doll
**pour,** for, to, in order to; **pour que,** in order that, so that, that
le **pourceau,** pig
le **pourpoint,** doublet
**pourquoi,** why
il **pourra (pouvoir),** he will be able
je **pourrais (pouvoir),** I should be able
tu **pourrais (pouvoir),** you would be able, could
il **pourrait (pouvoir),** he might, would be able
vous **pourrez (pouvoir),** you will be able
nous **pourrons (pouvoir),** we shall be able
la **poursuite,** pursuit; **à la poursuite de,** after, in (the) pursuit of
**poursuivre,** to prosecute; **être poursuivi,** to be prosecuted
**pourtant,** however, nevertheless
**pousser,** to push, incite, grow, utter, heave, press on; **se pousser du coude,** to nudge each other
la **poussière,** dust
ils **pouvaient (pouvoir),** they could
tu **pouvais (pouvoir),** you could, were able
je **pouvais (pouvoir),** I could, was able
il **pouvait (pouvoir),** he could
vous **pouvez (pouvoir),** you can, may
**pouvoir,** to be able, can
nous **pouvons (pouvoir),** we can
la **précaution,** care, precaution
**précédant, –e,** foregoing, preceding
**précéder,** to precede, go before
**précieux, précieuse,** valuable
se **précipiter,** to rush, rush out *or* forward
**précoce,** precocious
je **préfère (préférer),** I prefer

**préférer,** to prefer
**premier, première,** first; **au premier,** on the first floor (*our second floor*); **le premier,** first
ils **prenaient (prendre),** they would take
il **prenait (prendre),** he used to take, was taking, took, was catching
il **prend (prendre),** he takes
**prendre,** to take, capture; **prendre en flagrant délit,** *or* **prendre sur le fait,** to catch redhanded
**prends! (prendre),** take! **prends garde!** be careful! **prends patience!** be patient!
je **prends (prendre),** I take
**prenez! (prendre),** take! **prenez garde!** be careful! take care! watch out!
**prenons! (prendre),** let us take! **prenons patience!** let us have patience!
la **préoccupation,** worry
**préparer,** to prepare, get ready; **se préparer à,** to get ready for
**près de,** near, about; **de trop près,** too closely
**prescrire,** to prescribe
il **prescrit (prescrire),** he prescribes
vous **prescrivez (prescrire),** you do prescribe
la **présence,** presence
**présent, –e,** present; **à présent,** nowadays
**présenter,** to present, introduce; **se présenter,** to introduce oneself
**presque,** almost
la **presse,** press
**pressé, –e,** in a hurry, hurried; **avoir l'air pressé,** to seem to be in a hurry
se **presser,** to crowd
la **pression,** snap
le **prestige,** prestige
**prêt, –e,** ready
**prétendre,** to claim
**prêter,** to lend, give
**prévenir,** to warn
il **prévient (prévenir),** he warns
il **prévint (prévenir),** he advises, warns
la **prévision,** foresight, plan
**prier,** to beg; **je vous prie,** please, I beg of you
le **prince,** prince
**principal, –e,** chief, principal
le **printemps,** spring; **au printemps,** in the springtime
**pris, –e (prendre),** taken, caught, adapted; **vous êtes pris sur le fait,** you are caught redhanded
la **prison,** prison
il **prit (prendre),** he took
**privé, –e,** deprived
le **prix,** price
le **problème,** problem
**prochain, –e,** next, nearest
**proche,** near; **le plus proche,** nearest
**procurer,** to get
**produire,** to produce
vous **produisez (produire),** you produce
le **produit,** product; **produit de luxe,** fancy product
le **professeur,** professor
se **profiler,** to be cast, be outlined
**profiter (de),** to use, take advantage of, make use of
**profond, –e,** deep
**profondément,** deeply
les **progrès,** *m. pl.,* progress

la **promenade,** walk; **faire une promenade,** to take a walk (*or* a ride)
se **promener,** to walk, go walking
ils **promettent (promettre),** they promise
**promettre,** to promise
je **promets (promettre),** I promise
**prononcer,** to utter, say, pronounce
le **propos,** word, saying; **à propos de,** with regard to; **à propos,** by the way
**proposer,** to suggest
la **proposition,** suggestion, proposal
le **propriétaire,** owner
la **prosodie,** prosody
**prospère,** prosperous
la **protection,** protection
le **protégé,** protégé
**protéger,** to protect
**protester,** to protest
**providentiel, providentielle,** providential
les **provisions,** *f. pl.*, food, provisions
**prudent, –e,** prudent
la **Prusse,** Prussia
les **Prussiens,** *m. pl.*, Prussians
**pu (pouvoir),** been able, could; **j'ai pu,** I could, was able, have been able; **on aurait pu appeler,** one might have called
**public, publique,** public
la **publication,** publication
la **Pucelle,** Maid (Joan of Arc)
**puéril, –e,** childish
je **puis (pouvoir),** I can, may
**puis,** then
**puisque,** since
**puissant, –e,** mighty, powerful
**pur, –e,** pure
la **purée,** purée
ils **purent (pouvoir),** they could
il **put (pouvoir),** he could, was able

## Q

**qu'** = **que**
le **quai,** wharf, quay
la **qualité,** good quality, quality
**quand,** when
**quant à,** as for; **quant à moi,** as far as I am concerned
**quarante,** forty
**quarante-cinq,** forty-five
le **quart d'heure,** quarter hour
le **quartier,** quarter, district, section
**quatorzième,** fourteenth
**quatre,** four
**quatrième,** fourth; **au quatrième,** on the fourth floor (*our fifth floor*)
**que,** that, what, than, when, except, which, whom, may, as, how, but, until
**quel, quelle, quels, quelles,** what, what a, of what sort, what kind of
**quelque,** some, any; **quelques,** a few
**quelque chose,** something, anything; **quelque chose de facile,** something easy
**quelquefois,** sometimes
**quelqu'un, –e,** someone, anyone; **quelques-uns, quelques-unes,** some, a few
**qu'est-ce que,** what, what is
**qu'est-ce que c'est?** what is that?
**qu'est-ce que c'est que,** what is . . . ?
**qu'est-ce qui,** what

la **question,** question
la **quête,** collection; **faire la quête,** to take up a collection
la **queue,** tail
**qui,** who, which, that, whom, he who
**qui est-ce qui,** who
**quinze,** fifteen
**quittant,** leaving; **en quittant,** upon leaving
**quitter,** to leave
**quoi,** what; **de quoi payer,** enough to pay

**R**

la **race,** race, breed
**raconter,** to tell, relate; **raconte-moi cela,** tell me about it
**raffiné, –e,** refined, delicate
la **rage,** rage, anger
le **ragoût,** stew
**raide,** steep, stiff
la **raison,** reason, right; **avoir raison,** to be right
**raisonnable,** reasonable
**rajeuni, –e,** rejuvenated
**rajeunir,** to grow young again
**ramasser,** to gather up, pick up
**ramener,** to bring back
la **rampe,** stair, flight of stairs, ramp
le **rang,** rank
**rangé, –e,** arranged
la **rangée,** row
**ranger,** to arrange, put in order
**rapide,** quick
**rappeler,** to recall; **se rappeler,** to remember
je me **rappelle (se rappeler),** I remember, do remember
il **rappellerait (rappeler),** he would recall
**rapporter,** to carry back
**rare,** rare
**rasé, –e,** shaved, shaven
se **raser,** to shave
le **rasoir,** razor
**rassembler,** to gather together
**rassis, –e,** stale
**rassurer,** to reassure
la **ration,** ration
**rationner,** to put on short rations
**rattraper,** to catch again; **se rattraper,** to make up for, compensate oneself, catch up
**ravissant, –e,** charming
**rayonner,** to beam
la **réalisation,** realization
la **réalité,** reality; **en réalité,** actually
**réapparaître,** to reappear
**rebâtir,** to rebuild
le **rebut,** garbage, refuse
**rebuté, –e,** repulsed
la **réception,** reception
il **recevait (recevoir),** he used to receive, was receiving, received
**recevez ! (recevoir),** receive !
**recevoir,** to receive
il **recevrait (recevoir),** he would get
**réchauffer,** to warm
**réciproquement,** mutually
**réclamer,** to claim, demand
je **reçoive (recevoir),** I receive
**recommencer,** to begin again
**reconnaissant, –e,** grateful
**reconnaître,** to recognize
**reconnu, –e (reconnaître),** recognized
ils **reconnurent (reconnaître),** they recognized
il **recouvrait (recouvrir),** he used to cover, was covering, covered
**recouvrir,** to cover

**rectifier**, to straighten, fix
**reçu, -e (recevoir)**, received
le **recueil**, collection
**recueillir**, to collect
se **reculer**, to step back
il **reçut (recevoir)**, he received
**redescendre**, to go down again
**rédigé, -e**, composed
la **redingote**, riding coat, frock coat
se **redresser**, to draw oneself up
**refermer**, to close (again)
**réfléchir**, to reflect
ils se **reflètent (se refléter)**, they reflect, are reflected
se **refléter**, to be reflected
le **refuge**, refuge
le **réfugié**, refugee
**réfugié, -e**, taken refuge
se **réfugier**, to flee, take refuge
le **refus**, refusal
**refuser**, to refuse
se **régaler**, to regale oneself
le **regard**, glance
**regarder**, to look, look at, watch, see, concern; **ça ne me regarde pas**, that does not concern me
le **régime**, diet; **au régime du lait**, on a milk diet
le **règne**, reign
le **regret**, regret
**regretter**, to be sorry, miss, be homesick for; **je le regrette**, I am sorry
**Reims**, Rheims, city in northeastern France, famous for its beautiful cathedral, in which all kings of France were crowned
la **reine**, queen
la **reine-marguerite**, China aster
**réjouir**, to enjoy, delight
la **relation**, relationship, relation
**relever**, to raise
la **remarque**, remark
**remarquer**, to observe; **faire remarquer à . . . que**, to call to (someone's) attention (the fact) that
le **remède**, remedy
le **remerciement**, thanks
**remercier**, to thank
il **remet (remettre)**, he puts back, puts
**remettre**, to postpone, put, put back
**remis, -e (remettre)**, postponed, restored, placed
il **remit (remettre)**, he put back, put back on
**remonter**, to get back on, go up again
le **rempart**, rampart
**remplacer**, to replace
**remplir**, to fill, comply with, replace; **se remplir**, to fill, be filled
**remuer**, to stir
**rencontrer**, to meet; **se rencontrer**, to meet
**rendre**, to restore, give, drive, give back, make, render; **se rendre**, to surrender, go; **rendre visite à**, to visit
**renifler**, to sniff
la **renommée**, renown, reputation
**renoncer (à)**, to forego
les **rentes**, *f. pl.*, revenue, (annual) income
**rentrer**, to go home, put back, go back, return, come home; **rentrer chez lui**, to go back to one's room
**renverser**, to upset, overturn
**renvoyer**, to send away
**répandre**, to spread
**répandu, -e**, widespread, popular
le **repas**, meal

**répéter**, to repeat
**répondre** (**à**), to answer, reply
la **réponse**, answer
se **reposer**, to rest
**repousser**, to repulse
il **reprend** (**reprendre**), he catches, takes up again, begins again
**reprendre**, to begin again; **reprendre haleine**, to catch one's breath
vous **reprendrez** (**reprendre**), you will take again, begin again
ils **reprennent** (**reprendre**), they begin again
la **représentation**, performance
**représenter**, to represent
il **reprit** (**reprendre**), he regained, took up again, began again
le **reproche**, reproach
**reprocher** (**à**), to reproach (for); **que lui reproches-tu?** what have you against him?
la **république**, republic
la **réputation**, reputation
**réquisitionner**, to requisition
**réserver**, to keep
**résister** (**à**), to resist
le **respect**, respect
**respectueux, respectueuse**, respectful
**respirer**, to breathe, smell
la **responsabilité**, responsibility
**ressemblant: très ressemblant**, closely resembling (him)
**ressembler** (**à**), to resemble; **se ressembler**, to resemble each other, be alike
le **restaurant**, restaurant
le **reste**, rest, remnant, *pl.*, remains
**rester**, to remain, stay, be left; **il ne me reste plus qu'à**, there is nothing left for me to do but
**rétablir**, to re-establish
**retenir**, to restrain, hold back, recall
**retentir**, to ring, resound
il **retint** (**retenir**), he held back
**retiré, -e**, withdrawn
**retirer**, to withdraw, get, draw
le **retour**, return; **penser au retour**, to think of going home
se **retourner**, to turn around, turn
la **retraite**, retreat
**retroussé, -e**, turned up
**retrouver**, to regain; **se retrouver**, to be again, find oneself (again)
**réuni, -e**, united
la **réunion**, meeting, gathering
le **rêve**, dream
**réveiller**, to wake up, awaken; **se réveiller**, to awake, waken
**révéler**, to reveal
**revenant**, returning
ils **revenaient** (**revenir**), they used to return, were returning, returned
**revenir**, to come back, return
**revenu, -e**, returned, restored
**rêver**, to dream
la **révérence**, bow; **faire la révérence**, to bow
**revêtir**, to put on
**revêtu, -e**, dressed
il **reviendra** (**revenir**), he will return
je **reviendrai** (**revenir**), I shall come back
je **reviens** (**revenir**), I return
il **revient** (**revenir**), he comes back
ils **revinrent** (**revenir**), they returned

il **revint** (**revenir**), he returned, came back
**revoir**, to look over, review, see again; **au revoir**, good-by
il **revoit** (**revoir**), he sees again
le **revolver**, revolver
**revu, -e** (**revoir**), seen again, reviewed
le **rhume**, cold
**ri** (**rire**), laughed
ils **riaient** (**rire**), they used to laugh, were laughing, laughed
il **riait** (**rire**), he used to laugh, was laughing, laughed
**riant, -e**, laughing; **en riant,** laughingly
**riche**, rich
le **rideau**, curtain
**ridicule**, ridiculous
**rien: ne . . . rien,** nothing, not anything; **rien du tout,** nothing at all; **rien d'autre,** anything else
vous **riez** (**rire**), you laugh, do laugh
**rincer**, to rinse
**rire**, to laugh; **rire de bon cœur,** to laugh heartily; **rire de tout son cœur,** to laugh heartily
il **rit** (**rire**), he laughed
la **rivière**, river
la **robe**, dress; **robe de dentelles,** lace dress; **robe de chambre,** bathrobe, dressing gown
**robuste**, robust
le **roi**, king; **Roi-Soleil,** Sun King (*Louis XIV*)
le **roman**, novel
la **romance**, ballad, song
**rond, -e**, round
la **rose**, rose
le **rossignol**, nightingale
le **rôti**, roast
**rouge**, red
**rougeâtre**, reddish
**rougir**, to blush
**rouler**, to roll, move
la **route**, road, way, journey
**royal, -e**, royal; **à la royale,** in the royal style, royally
le **royaliste**, royalist
le **royaume**, realm, kingdom
la **royauté**, royalty
le **ruban**, ribbon
la **rue**, street; **rue écartée,** side street, back street
la **ruelle**, narrow street, alley
se **ruiner**, to ruin oneself
la **rumeur**, rumor

## S

**s'** = **si**
**sa**, his, her, its
le **sac**, bag; **sac de voyage,** traveling bag
le **sacre**, coronation
le **sacrifice**, sacrifice
**sage**, good, wise
le **saint**, saint
la **sainte**, saint
je **sais** (**savoir**), I know, do know
tu **sais** (**savoir**), you know, do know
**saisir**, to seize
il **sait** (**savoir**), he knows, does know
la **salle**, hall, room; **salle de bain,** bathroom; **salle de bal,** ballroom
le **saloir**, salting tub, salt box
le **salon**, living room, drawing room, hall
**saluer**, to greet, bow
le **sang**, blood
le **sanglot**, sob
**sans**, without; **sans répondre,** without answering; **sans mot dire,** without saying a word

**Sans-Souci**, name of the Prussian royal palace at Potsdam built by Frederick the Great
la **santé**, health; **en bonne santé**, in good health, very well
**satisfaire**, to satisfy
**satisfait, –e**, satisfied
la **sauce**, sauce
la **saucisse**, sausage
tu **saurais** (**savoir**), you would know, would be able, could
**sauter**, to leap on, jump
**sauvage**, wild
**sauver**, to save; **se sauver**, to flee, run away
il **savait** (**savoir**), he used to know, was knowing, knew, knew how, did know how
le **savant**, scientist
vous **savez** (**savoir**), you know
la **Savoie**, Savoy
**savoir**, to know; **vous voulez le savoir?** do you want to know?
le **savon**, soap
nous **savons** (**savoir**), we know, do know
le **Savoyard**, native of Savoy
la **scène**, stage, scene, action
le **scrupule**, scruple, qualm; **sans scrupules**, unscrupulous
**scruter**, to scrutinize
**se**, himself, herself, oneself, themselves, to *or* for himself, herself, *etc.*
la **séance**, sitting, séance; **séance de peinture**, portrait sitting
**sec, sèche**, dry; **d'un coup sec**, with a sharp blow
la **sécheresse**, dryness
**second, –e**, second
**secouer**, to shake
le **secret**, secret
**secret, secrète**, secret
**secrètement**, secretly
le **seigneur**, lord, nobleman
la **Seine**, Seine River
**seizième**, sixteenth
le **séjour**, place, sojourn, stopping place
**séjourner**, to stay, stop
la **semaine**, week
**sembler**, to seem; **il me semble**, it seems so, I seem, it seems to me
il **sème** (**semer**), he sows
la **semelle**, (shoe) sole
**semer**, to sow
le **sens**, sense; **bon sens**, common sense
je me **sens** (**se sentir**), I feel
il se **sent** (**se sentir**), he feels, does feel
il se **sentait** (**se sentir**), he felt, felt himself to be
ils se **sentent** (**se sentir**), they feel
le **sentiment**, feeling, sentiment
**sentimental, –e**, sentimental
la **sentinelle**, sentinel
**sentir**, to feel; **se sentir**, to feel; **se faire sentir**, to make itself felt
il se **sentira** (**se sentir**), he will feel
ils **sentirent** (**sentir**), they felt
**sept**, seven
je **serais** (**être**), I would be
il **serait** (**être**), he would be; **il se serait dit**, he would have said to himself
vous **serez** (**être**), you will be
**sérieux, sérieuse**, serious
nous **serons** (**être**), we shall be, are
ils **seront** (**être**), they will be
**serrer**, to squeeze; **se serrer la main**, to shake hands
la **serrure**, lock

il **sert (servir)**, he serves, does serve; **on leur sert**, they are served
la **servante**, servant, maid
il **serve (servir)**, he serves
**servi, –e**, served
le **service**, service; **qu'y a-t-il pour votre service?** what can I do for you?
**servir**, to serve
**ses**, his, her, its
le **seuil**, threshold, doorstep
**seul, –e**, only, alone, single; *as noun*, only one
**seulement**, only, alone
**si**, if, so, yes
le **siècle**, century
le **siège**, siege; **faire le siège de**, to lay siege to
**sien, sienne**, his, hers
**signaler**, to point out
la **signature**, signature
le **signe**, sign
**signer**, to sign
le **silence**, silence
**silencieusement**, silently
**silencieux, silencieuse**, silent
la **silhouette**, outline
**simple**, simple
**simplement**, simply; **tout simplement**, quite simply
le **singe**, monkey
**Sire**, Sire
**situer**, to situate
**six**, six
**sixième**, sixth
le **smoking**, dinner coat
la **sœur**, sister
la **soie**, silk
la **soif**, thirst; **avoir soif**, to be thirsty
**soigné, –e**, well-prepared
le **soin**, care; **tous ses soins**, all his skill
le **soir**, evening, in the evening; **tous les soirs**, every evening; **du soir**, in the evening
la **soirée**, evening; **toute la soirée**, all evening long
**soixante**, sixty
le **sol**, small coin
le **sol**, ground
le **soldat**, soldier
la **solde**, (*soldier's*) pay
le **soleil**, sun
**solide**, solid
**solidement**, firmly, solidly
la **solitude**, solitude
la **sollicitude**, sollicitude
la **solution**, solution
la **somme**, sum
nous **sommes (être)**, we are; **nous y sommes**, here we are
le **sommet**, top, peak
le **son**, sound
**son**, his, her, its
**sonner**, to ring, sound
la **sonnerie**, ringing
la **sonnette**, bell
**sonore**, echoing
ils **sont (être)**, they are; *as auxiliary*, have
je **sors (sortir)**, I am coming, I go out
il **sort (sortir)**, he goes out, comes out, takes out, is leaving, pulls, does pull
ils **sortaient (sortir)**, they came out
**sortant**, going out, pulling *or* taking out
la **sorte**, sort, kind; **de sorte que**, so that, therefore; **de telle sorte que**, in such a way that
ils **sortent (sortir)**, they go out, come out, do go out, are taking out
**sorti, –e (sortir)**, gone out
la **sortie**, exit
**sortir**, to come out, go out,

take out, pull out; **faites les sortir**, send them away
la **sottise**, foolishness
il **sortit** (**sortir**), he went out
le **sou**, penny, sou
le **souci**, care, worry
la **soucoupe**, saucer
**soudain**, suddenly
le **souffle**, breath
il **souffrait** (**souffrir**), he used to suffer, was suffering, suffered
**souffreteux, –se**, puny
**souffrir**, to suffer
**soulagé, –e**, relieved
le **soulagement**, relief
**soulager**, to relieve
les **souliers**, *m. pl.*, shoes
**souligner**, to point out, emphasize
la **soupe**, soup
le **souper**, supper
**souper**, to take supper
le **soupir**, sigh
**soupirer**, to sigh
**souriant, –e** (**sourire**), smiling
**sourire**, to smile
le **sourire**, smile
**sous**, under
le **sous-lieutenant**, second-lieutenant
**soutenir**, to sustain, support
**soutenu, –e** (**soutenir**), sustained, supported
le **souterrain**, subterranean passage, tunnel
le **soutien**, support
le **souvenir**, memory
se **souvenir** (**de**), to remember
**souvent**, often
le **souverain**, sovereign
je me **souviens** (**se souvenir**), I remember
**spécial, –e**, special
le **spectacle**, scene, sight, spectacle, show
le **spectateur**, spectator
**spirituel, spirituelle**, spiritual
la **splendeur**, splendor
le **sport**, sport
la **station**, station
**stimuler**, to stimulate
le **stratagème**, stratagem
**stupéfait, –e**, amazed
la **stupeur**, stupor; **avec stupeur**, dumbfounded
**stupide**, stupid
**su, –e** (**savoir**), knew
**subtil, –e**, subtle
la **succession**, sequence
le **sucre**, sugar
le **sud**, south
la **sueur**, sweat, perspiration
**suffire**, to suffice, be enough
**suffisant, –e**, sufficient, enough
ils **suffisent** (**suffire**), they are enough
**suffoquant, –e**, stifling, choking
**suggérer**, to suggest
je **suis** (**être**), I am
**suisse**, Swiss
il **suit** (**suivre**), he follows
la **suite**, sequel; **tout de suite**, at once
ils **suivaient** (**suivre**), they followed, were following, used to follow
**suivant, –e**, following, according to
ils **suivent** (**suivre**), they follow, do follow
**suivi, –e** (**suivre**), followed
ils **suivirent** (**suivre**), they followed
il **suivit** (**suivre**), he followed
**suivre**, to follow, pass through
le **sujet**, subject; **au sujet de**, with regard to
**superficiel, superficielle**, superficial

**supposer**, to suppose
**sur**, on, against, over
**sûr**, –e, sure, safe
le **surcroît**, increase, addition
**sûrement**, surely
la **sûreté**, safety
la **surface**, surface
**surmonté**, –e, surmounted
**surnommé**, –e, surnamed, nicknamed
**surpris**, –e, surprised
la **surprise**, surprise
**surtout**, especially
**survécu**, –e, survived, outlived
**surveiller**, to watch, survey
**survivre**, to survive, outlive
la **sympathie**, sympathy

T

**ta**, your
la **table**, table; **une table à thé servie**, a tea table all set; **table à écrire**, writing table; **table de travail**, work table
le **tableau**, picture
le **tablier**, apron
**tailler**, to cut, cut out
se **taire**, to be silent
ils se **taisaient** (**se taire**), they were silent
ils se **taisent** (**se taire**), they grow silent, keep silent
il se **tait** (**se taire**), he is silent
le **talent**, talent
**tant** (**de**), so much, so many; **tant que**, as much as; **tant mieux**, all the better
**tandis que**, while
la **tante**, aunt
la **tape**, tap
**taper**, to tap, strike
le **tapis**, rug, carpet
la **tapisserie**, carpeting, tapestry
le **tapissier**, carpet dealer
**tapoter**, to pat
il **tapotte** (**tapoter**), he pats
**tard**, late; **plus tard**, later; **à plus tard**, until later
le **tarif**, price
le **tas**, pile
la **tasse**, cup
**te**, to you, you, for you
le **téléphone**, telephone
**témoigner**, to show, witness
le **témoin**, witness
**tempérer**, to temper
le **temps**, time, weather; **à temps**, in time; **de temps à autre**, from time to time; **en d'autres temps**, at other times; **peu de temps**, shortly; **peu de temps avant**, shortly before
ils **tenaient** (**tenir**), they used to hold, were holding, held, stayed; **il se tenaient debout** (**se tenir**), they were standing
il **tenait** (**tenir**), he used to hold, was holding, held; **il se tenait**, he was standing
**tenant** (**tenir**), holding
**tendre**, to hand, hold out, extend
la **tendresse**, love, tenderness
**tenir**, to hold; **se tenir**, to stand; **se tenir debout**, to stand
la **tentation**, temptation
la **tente**, tent
**tenter**, to tempt
**tenu**, –e (**tenir**), held, kept
**terminer**, to finish, end
**ternir**, to dirty, dull, stain
la **terrasse**, terrace; **à la terrasse d'un café**, in a sidewalk café
le **terrain**, land, field
la **terre**, land, ground, floor,

earth; **par terre,** to the floor, to the ground, on the floor, on the ground
le **territoire,** territory
**tes,** your
la **tête,** head; **faire un signe de tête,** to nod; **qui lui venaient en tête,** which came into his head; **en tête de,** at the head of; **tête de mort,** skull
**têtu, –e,** stubborn
le **texte,** text
le **thé,** tea
le **théâtre,** theater
**tiède,** pleasant, mild; **il fait tiède,** it is pleasant, mild (weather)
**tiens!** **(tenir),** why! well! look!
il **tient (tenir),** he holds
**tirer,** to draw, take, pull, take out
le **titre,** title
**toi,** you; **à toi,** it is for you
le **toit,** roof
la **tolérance,** tolerance
**tolérant, –e,** tolerant
**tombant, –e,** sagging
**tomber,** to fall; **tomber à genoux,** to fall to one's knees
**ton,** your
le **ton,** tone
le **tondeur (de chiens),** (dog) clipper
**tondre,** to clip
la **toque,** toque, bonnet
se **tordre,** to writhe
**toucher,** to touch, draw
**toujours,** always, still; **pour toujours,** forever
le **toupet,** tuft of hair
le **tour,** turn, stroll; **le tour du jardin,** a stroll in the garden; **à son tour,** in his turn
la **tour,** tower
la **Touraine,** Touraine
le **touriste,** tourist
**tourner,** to turn, turn about; **se tourner,** to turn around, turn
**tout, toute, tous, toutes,** all, quite, very, any, everything, whole; **tout de suite,** at once, right away; **tout en,** while; **tout à coup,** suddenly; **tout simplement,** simply; **tout frais,** quite fresh; **tous les jours,** every day
le **toutou,** bow-wow, doggie
la **tradition,** tradition
**traduire,** to translate, express
il **traduit (traduire),** he shows, expresses, translates
**traduit, –e (traduire),** translated
la **tragédie,** tragedy
**trahir,** to betray
la **trahison,** treason, treachery
le **train,** train
**train: être en train de,** to be busy (doing something), be occupied in, be in the act of
**traîner,** to drag, lie about
le **trait,** line, feature, act, hit, tale; **trait de caractère,** characteristic
**traiter,** to treat
**tranquille,** tranquil, quiet, calm
la **tranquillité,** calm, tranquility, peace
**transfiguré, –e,** transfigured
je **transmettrai (transmettre),** I shall report, shall transmit
**transmettre,** to transmit, report
**transporter,** to transport
le **travail,** work
**travailler,** to work

**travers: à travers,** through, among; **de travers,** askew
**traverser,** to cross, cut through, penetrate; **traverser à la nage,** to swim across
**trente,** thirty
**trente-cinq,** thirty-five
**trépigner,** to stamp
**très,** very
le **trésor,** treasure, treasury
le **trésorier,** treasurer
**tresser,** to braid
**Trianon, le Grand, le Petit,** names of two little palaces built in the park of Versailles, the first under Louis XIV, the second under Louis XV
le **tribunal,** court
le **trimestre,** third of a year
**triomphalement,** triumphantly
**triste,** sad
**tristement,** sadly
**trois,** three
**troisième,** third; **au troisième,** on the third floor (*our fourth floor*)
se **tromper,** to be mistaken
la **trompette,** trumpet
le **trône,** throne
**trop,** too, too much
**trotter,** to trot
le **trou,** hole
**troublé, -e,** troubled
**troubler,** to disturb
la **troupe,** troop
**trouver,** to find; **se trouver,** to be, find oneself; **vous faire trouver,** to help you find
la **truffe,** truffle
**tu,** you
le **tubercule,** tubercle, root
**tuer,** to kill
**Tuileries, les,** palace and gardens of the former residence of the rulers of France at Paris; gardens designed by Le Nôtre; palace destroyed in 1871
le **type,** type, kind of person

### U

**un, une,** a, an, one; **l'un à l'autre,** one to another; **les uns des autres,** of each other, of one another; **l'un après l'autre,** one after another
**unique,** only, sole
s'**unir,** to join, unite
l'**usage,** *m.*, use, usage
**utile,** useful

### V

il **va** (**aller**), he goes, is going (to); **qu'est-ce qui ne va pas?** what is wrong?
il s'**en va** (**s'en aller**), he goes (off); **l'on s'en va deux,** they go in pairs
la **vache,** cow
je **vais** (**aller**), I go, I am going; **je vais à la pêche,** I go fishing
je m'**en vais** (**s'en aller**), I go away
le **valet,** valet; **le valet de chambre,** valet
la **valise,** bag, valise
la **vallée,** valley
**valoir,** to be worth; **valoir mieux,** to be better
la **vanité,** vanity
se **vanter de,** to boast of
tu **vas** (**aller**), you go; **tu vas bien?** you are well?
le **vase,** vase
**vaste,** vast
il **vaut** (**valoir**), it is worth; **il vaut mieux,** it is better
**vécu, -e,** lived

le **végétarien**, la **végétarienne**, vegetarian
le **velours**, velvet
ils **venaient** (**venir**), they used to come, were coming, came
il **venait de** (**venir**), he had just; **il venait de donner**, he had just given
**venant** (**venir**), coming
le **vendeur**, seller
**vendre**, to sell
**venir**, to come; **venir de**, to have just
le **ventre**, stomach; **à plat ventre**, flat on their stomachs
**venu**, -**e** (**venir**), come; **je suis venu**, I came, have come; **nous sommes venus**, we came
le **verger**, orchard
**vérifier**, to verify
la **vérité**, truth; **en vérité**, in fact
**vernis**, **vernie**, polished
je **verrai** (**voir**), I shall see
le **verre**, glass; **un verre d'eau**, glass of water
**vers**, to, toward
le **vers**, verse
**Versailles**, town near Paris, famous for its magnificent palace and park designed by Le Nôtre. The Treaty of Versailles was signed in the famous "Galerie des Glaces" in 1919.
**verser**, to pour
**vert**, -**e**, green
la **verve**, liveliness, spirit
le **vestibule**, vestibule
les **vêtements**, *m. pl.*, clothes
**vêtu**, -**e** (**de**), dressed in
il **veut** (**vouloir**), he wants, wishes, does want, does wish; **veut dire**, means
je **veux** (**vouloir**), I wish, want, do want (to), will
tu **veux** (**vouloir**), you wish, want, will
**vexé**, -**e**, vexed
la **viande**, meat
le **vice**, vice
**victorieux**, **victorieuse**, victorious
**vide**, empty
la **vie**, life; **pour la vie**, for life; **toute sa vie**, all his life
**vieil**, **vieille**, old
le **vieillard**, old man
la **vieille**, old woman
**vieilli**, -**e**, old, aged
**vieillir**, to grow old
il **viendra** (**venir**), he will come
je **viendrai** (**venir**), I shall come
ils **viennent** (**venir**), they come
**viens!** (**venir**), come!
je **viens** (**venir**), I come; **je viens de**, I have just; **je viens de vous montrer**, I have just shown you
il **vient** (**venir**), he comes; **il vient de**, he has just
**vieux**, **vieil**, **vieille**, old
**vif**, **vive**, bright, vivid
le **vignoble**, vineyard
**vigoureusement**, vigorously
**vilain**, -**e**, ugly
le **village**, village
la **ville**, town, city; **en ville**, in town, away from home
le **vin**, wine
**vingt**, twenty
la **vingtaine**, about twenty, some twenty; **une vingtaine de personnes**, some twenty people
**vingt-cinq**, twenty-five
**vingt-deux**, twenty-two
il **vint** (**venir**), he came
**Viollet-le-Duc**, French architect who, during the Second

Empire, restored a number of famous historical buildings
je **vis** (**vivre**), I live; (**voir**), I saw
le **visage**, face; **au visage intelligent**, with an intelligent face
**viser**, to aim; **viser d'un revolver**, to cover with a gun
la **visière**, vizor
le **visionnaire**, visionary
la **visite**, visit; **rendre visite à**, to pay a visit to
**visiter**, to visit
le **visiteur**, visitor
il **vit** (**voir**), he saw; (**vivre**), he lives
**vite**, quick, quickly; **au plus vite**, as quickly as possible
il **vivait** (**vivre**), he used to live, was living, lived
**vivant, -e**, living
nous **vivons** (**vivre**), we live
**vivre**, to live
**voici**, here is, here are; **les voici**, here they are; **le voici**, here he is
ils **voient** (**voir**), they see, do see
**voilà**, there is, there are, that is, this is, there you are; **voilà tout**, that's all; **voilà que**, soon; **vous voilà**, there you are
**voir**, to see
je **vois** (**voir**), I see, do see
tu **vois** (**voir**), you see
le **voisin**, la **voisine**, neighbor
il **voit** (**voir**), he sees, does see; **on voit**, it is seen
la **voiture**, carriage
la **voix**, voice; **à haute voix**, aloud, in a loud voice; **une voix d'enfant**, a child's voice; **à voix basse**, in a low voice
le **volcan**, volcano
**voler**, to steal
le **volet**, shutter
le **voleur**, robber, thief
la **volonté**, will, will power
**volontiers**, gladly, willingly; **volontiers** + *verb*, to be glad to
**Voltaire**, François Marie Arouet de, 1694–1778, famous French poet and prose writer. A bitter satirist, of deep humanitarian feeling, he attacked the abuses of his age and did much to hasten the French Revolution. Some of his best-known works are *Candide*, *Dictionnaire Philosophique*, *Essai sur les Mœurs*, and *Micromégas*.
ils **vont** (**aller**), they are going, are about to go, do go
**vos**, your
les **Vosges**, *f. pl.*, the Vosges Mountains, a mountain range in eastern France
**votre**, your
le *or* la **vôtre**, yours
je **voudrai** (**vouloir**), I like, shall wish
je **voudrais** (**vouloir**), I should like, wish
il **voulait** (**vouloir**), he wished, used to wish, was trying
vous **voulez** (**vouloir**), you wish, will, do want
**vouloir**, to wish, want; **vouloir dire**, to mean; **bien vouloir**, to be so good as to; **en vouloir à**, to be angry at, have a grudge against
**voulu, -e** (**vouloir**), wished, wanted; **ils ont bien voulu**, they were kind enough to
ils **voulurent** (**vouloir**), they wanted to, tried to

il **voulut** (**vouloir**), he wanted, tried, wished
**vous**, you, to you, for you
**vous-même**, yourself
la **voûte**, arch, vault
le **voyage**, trip
**voyager**, to travel
le **voyageur**, traveler
il **voyait** (**voir**), he saw, used to see, was seeing
**voyant**, seeing
vous **voyez** (**voir**), you see
**voyons!** (**voir**), look here! come!
**vrai, –e**, real, true
**vraiment**, genuinely, really, truly
**vu, –e** (**voir**), seen
la **vue**, sight, view
**vulgaire**, vulgar, common

**Y**

**y**, there, it, for it, to it, on it, of that, with it, in it, with them; **qu'y a-t-il?** what is the matter?

**Z**

**zélé, –e**, zealous